Rien ne va plus
Le journal d'Aurore 3

Marie Desplechin

Rien ne va plus

Le journal d'Aurore 3

Médium
l'école des loisirs
11, rue de Sèvres, Paris 6ᵉ

Du même auteur à *l'école des loisirs*

Collection MÉDIUM

J'envie ceux qui sont dans ton cœur
Satin grenadine
Séraphine
Jamais contente (Le journal d'Aurore 1)
Toujours fâchée (Le journal d'Aurore 2)
Les yeux d'or

© 2009, l'école des loisirs, Paris
Loi n° 49.956 du 16 juillet 1949 sur les publications
destinées à la jeunesse : septembre 2009
Dépôt légal : septembre 2009
Imprimé en France par CPI Bussière
à Saint-Amand-Montrond
N° d'édit. : 1. N° d'impr. : 091932/1.

ISBN 978-2-211-09718-5

À Véronique Djabri
À Margot Bravi

OCTOBRE

Projets culturels et autres contrariétés

2 octobre

— Range ta chambre.

— Pourquoi ?

— C'est un ordre.

— Oui, mais pourquoi ?

— Parce que, si ce n'est pas fait dans une heure, je la range moi-même.

— Une heure, je le crois pas.

— À tes risques et périls.

Plutôt nettoyer par terre avec un Coton-Tige que de la laisser fourrer le nez dans mes affaires. Ma mère est d'une curiosité maladive. C'est déplorable mais c'est comme ça. Tous les prétextes sont bons pour fouiller dans la vie privée des gens qui l'entourent.

— Tu appelles ça une chambre rangée ?

— C'est mon idée du rangement et jusqu'ici c'est ma chambre.

— Et sous ton lit ? Les miettes ? Le bol de céréales ? Le pot de yaourt en train de moisir ? Les assiettes sales ? Tu veux attirer les souris ?

– C'est pas de ma faute si j'ai tout le temps faim…

Je ne peux même pas me nourrir tranquillement, il faut qu'on surveille tout ce que j'avale. Je regrette ma vie chez mes grands-parents. Ce n'est pas Mamie qui aurait inspecté sous mon lit. Elle se contentait de faire un peu de ménage quand j'étais au collège et personne ne passait des heures à discuter là-dessus. Ma mère n'a aucun sens de la discrétion. Ni de l'intimité. Ni de rien. Ma mère n'a aucun sens de rien et j'ai tout le temps faim.

4 octobre
Épidémie de grossesses sur le secteur. La prof de français en a chopé une. Et sévère. Elle est arrêtée à perte de vue. Nous avons touché un remplaçant. La personne répond au doux nom de Couette (Sébastien). Couette, inutile d'en rajouter. Ils le font exprès pour décourager les surnoms. Ce Couette est bourré d'ambition. Il a déjà filé un bouquin à lire. Aucune chance qu'il tombe enceinte, malheureusement.

5 octobre
J'ai envie de manger. Je suis déprimée. Ou l'inverse. La boulimie, probablement. Tout le monde ne peut

pas être anorexique. Encore un symptôme. Je suis pourrie de symptômes. À ce rythme-là, je vais mourir avant d'avoir le bac. Des fois, je me colle le cafard toute seule. C'est trop moche de partir avant d'avoir vingt ans. Ils seront tous bien punis de ne pas avoir profité de ma présence tant que j'étais là. Mais il sera trop tard pour gémir. Je n'avais pas que des défauts. Eh oui, les gars, il fallait y penser avant. Penser à la mort me déprime. Penser à l'enterrement me remonte le moral.

6 octobre

Rien dans le frigo. Rien sous mon lit. Rien nulle part. Qu'on ne compte pas sur moi pour manger les pommes qui traînent dans la corbeille depuis une semaine. Elles sont fripées. Je ne suis pas une souris.

Si je ne devais pas lire ce livre, j'aurais moins faim. Ça m'angoisse trop, de devoir lire. Je n'arrive pas à me souvenir des phrases. D'ailleurs, je n'arrive même pas à me souvenir du titre. Il faut que je regarde la couverture. Je ferme le bouquin, du coup je perds ma page et je passe des heures à chercher où j'en étais. Trop de temps perdu. «Madame de La Fayette». On n'a pas idée de choisir un titre aussi bête. Surtout qu'on ne l'a pas encore vue, celle-là.

Ou alors, elle est cachée sous un autre nom. C'est possible après tout. Avec les bouquins, on ne sait jamais. C'est l'auteur qui décide. Il peut faire n'importe quoi. Vu qu'il est mort, il se moque de ce que pensent les gens. Je devrais en écrire, des livres. Ça me vengerait. Vengeance posthume mais vengeance quand même.

J'en suis à la page quarante-trois. Toujours pas de trace de Madame de Machin Chose. On dirait *Où est Charlie?* sans les images. Où es-tu La Fayette, par pitié? J'ai faim. J'ai atrocement faim. Qui peut faire une fiche de lecture sur un bouquin dont le personnage principal a été enlevé? Encore deux heures avant le dîner. Je lis. Je suis en train de bousiller deux heures de ma vie. Tu m'entends, La Fayette?

8 octobre

Bon. Je peux tout recommencer. La Fayette n'existe pas. C'est l'auteur. Le truc s'appelle *La Princesse de Clèves*. C'est malin de mettre l'auteur en gros sur la couverture. Tout le monde croit que c'est le titre. Franchement, entre la princesse de Clèves et Madame de La Fayette, difficile de savoir qui fait quoi. J'aurais dû me renseigner avant. Il y a des milliers de sites. Mine de rien, avec son vieux titre, le bouquin a l'air assez connu. Ce prof de français ne s'est pas fichu de nous. Quitte à lire un livre, les gens aiment autant que ce soit un livre célèbre. Au moins, ils ont l'impression de participer. À quoi, on ne sait pas. Mais enfin, c'est toujours agréable de participer. Maintenant que j'ai les sites avec résumé complet, je vais pouvoir me dispenser du mot à mot. Les phrases sont trop longues. Arrivée au bout, j'ai oublié le début. À la fin, je confonds tout. J'ai même du mal à faire la différence entre les hommes et les femmes, ils s'appellent tous pareil. Personne n'a de prénom là-dedans. Sans compter que je ne peux pas croire qu'une fille de seize ans qui se marie avec un vieux type désolant multiplie les chichis pour ne pas dire qu'elle l'aime à un type de son âge, beau, riche, blindé de relations, et qui l'adore par-dessus le marché. C'est de la science-fiction. Et devinez ce qu'elle trouve, cette gourde, pour se simplifier l'existence? Elle demande conseil à sa mère. Là, ça devient carrément rocambolesque. Sa mère… On nage en pleine fantaisie. Qu'on ne compte pas sur moi pour lire le truc en entier. J'ai du mal à supporter Lola quand elle est en crise, ce n'est pas pour me taper Clèves, homme, femme ou petit ami. Sa mère. On croit rêver.

9 octobre

Même le résumé est gavant. Je t'aime, tu m'aimes, nous nous aimons mais notre amour est impossible parce que mon mari n'est pas d'accord, et je ne te parle pas de ma mère. Embrouille sur embrouille et tout ça pour qu'elle meure à la fin. *Secret Story* en pire. Je n'en peux plus. Quand est-ce qu'on mange?

Du poisson au four. Qu'est-ce que j'ai fait de mal? Des éponges beiges barbotant dans une sauce à la farine. Même les boulimiques ont des principes. De toute façon, Sophie m'a coupé l'appétit. Elle soutient qu'elle a lu *La Princesse de Clèves* pendant les vacances. Je répète: «pendant les vacances». Bizarrement, personne n'en avait entendu parler jusque-là. Il suffit que je m'exprime pour qu'elle la ramène. Quoi que je fasse, il faut qu'elle l'ait déjà fait, avant, en mieux. M'écraser, c'est son moteur dans la vie. Vas-y, Sophie, j'aime me sentir utile.

Mon père fait les nuits pendant quinze jours. Vivement qu'il soit de repos. Ça m'étonnerait qu'on ose lui servir du poisson au four pour le dîner.

10 octobre

Célianthe adore le bouquin. Sacrée Célianthe. Dans quel monde vis-tu?

11 *octobre*

Areski a trouvé un nom pour le groupe. Blanche-Neige et les sept nains. Ce n'est pas que ça m'ennuie de faire Blanche-Neige, mais les garçons ne sont que cinq. Donc, inutile d'y penser plus longtemps, voilà ce que j'ai dit. Mais justement, a répondu Areski, c'est comme pour les trois mousquetaires. C'est un clin d'œil. Un clin d'œil?

— Je ne vois même pas de quoi tu parles.

— Des trois mousquetaires.

— Et alors?

— Ils étaient quatre.

— Comment tu le sais?

— Tu n'as pas lu le livre?

— Quel livre?

— *Les Trois Mousquetaires*, bien sûr.

— C'est le titre?

— Ben oui, c'est le titre. Qu'est-ce que tu veux que ce soit?

— Je ne sais pas, moi… Les auteurs?

J'en ai plein le dos, de tous ces bouquins que je ne connais pas.

Areski était mort de rire. Il a raconté l'histoire aux autres nains au fur et à mesure qu'ils arrivaient de la mine. Et tous les nains de se gausser joyeusement. Visiblement, c'était leur meilleure blague depuis longtemps. La vie du nain n'est pas drôle tous les jours. Résultat : le groupe s'appelle Blanche-Neige, et pour les nains, les gens compteront eux-mêmes. Navrant. Après la franche rigolade, j'étais tellement énervée que je me suis cassé la voix à brailler dans le micro. À la fin de l'heure, les nains étaient terrorisés.

— Tu devrais faire gaffe à ta voix, m'a dit Tom.

— J'aime pas les filles qui marmonnent. Le genre petite berceuse sur sa petite guitare. Ça craint.

— Je suis d'accord. Moi aussi, j'aime quand ça donne. Mais économise-toi. Garde ta voix pour les concerts.

— Quoi, concert ?

— Concert, quoi. Quand on jouera en public.

En public. Les nains sont fantaisistes. S'ils espèrent que je vais me donner en spectacle, ils se fourrent le doigt dans l'œil jusqu'à l'épaule. Je vais avertir Areski. Jusque-là, on s'amuse bien. Mais faudrait pas qu'il se monte la tête.

12 octobre

Célianthe m'invite à déjeuner chez elle. Dimanche. Avec ses parents. Ils sont profs. Tous les deux. Les profs se marient entre eux. Comme n'importe quelle espèce après tout. Est-ce qu'on reproche aux canards de se mettre avec des canards ? Je me demande de quoi ils parlent à table. De bouquins, c'est à craindre. En tout cas, s'ils parlent en grec, je n'y vais pas. *Les Trois Mousquetaires* ont encore plus de sites que *La Princesse de Clèves*. Une vraie folie. Contrairement à son titre, l'auteur est tout seul, et cette fois il a un prénom. Dumas. Alexandre. Alexandre Dumas. Comme l'avenue. Le monde est petit, c'est dingue.

Sophie connaît les mousquetaires mais seulement de réputation. Il faut que je me dépêche de prendre le bouquin à la bibliothèque avant qu'elle le lise. Je suis l'aînée. J'ai la priorité.

14 octobre

Dimanche. Jour des cloches. J'aimerais bien aller à une messe, une fois, pour voir. Ce n'est pas parce que mes parents ne croient plus en rien que je n'ai pas le droit de me faire ma propre opinion. Si ça se trouve, je suis croyante en Dieu et je ne le sais pas. On me l'a injustement caché pendant toutes ces années. Du coup, je n'ai rien fait pour être en règle. Avec la chance que j'ai, quand je serai morte, j'irai brûler direct en enfer et je ne saurai même pas pourquoi.

15 octobre

Je suis entrée dans l'église qui est en haut de la rue, sur la place. J'adore la vieille odeur qu'il y a là-dedans. On se croirait dans une cave. Dieu sent le champignon, c'est déjà une information. Pour les séances, c'est le dimanche matin, à neuf heures et à onze heures et demie. Je vais prendre neuf heures. Si j'arrive à me lever. Ça me laissera le temps de décompresser avant mon invitation à déjeuner. On ne sait jamais ce qui peut se passer. Je pourrais avoir des émotions. Je pourrais voir Dieu, qui sait ? Ou un ange. Je suis très disponible. N'importe quoi avec des plumes fera l'affaire.

Invitation à déjeuner, quelle noble expression. On se croirait dans un livre.

16 octobre

J'ai croisé Lola dans le hall. Ses cheveux ont poussé. Ils lui tombent au milieu des omoplates. J'aimerais beaucoup en dire du mal, mais c'est malheureusement impossible. Ils sont brillants, souples et pleins de reflets. On dirait même qu'ils se sont multipliés. L'inverse de mes cheveux personnels qui se sont prudemment arrêté de pousser à hauteur de mes oreilles. Pauvres petits cheveux. Ils ont peut-être le vertige. À la loterie capillaire, tout le monde n'a pas les mêmes chances, et moi j'ai la guigne. Je me demande si Dieu peut faire quelque chose au niveau des cheveux. Quand j'étais petite, Mamie racontait sans arrêt des histoires de miracles. C'était avant que mon père lui dise d'arrêter d'embobiner ses gosses. Aussitôt dit, aussitôt fait. Au revoir Jésus, bonjour dalaï-lama. Pas étonnant que je sois devenue une adolescente déboussolée.

— Ça va ? a fait Lola.

— Ça va. Et toi, ça va ?

— Ça va, ça va. Et toi ?

— Ça va aussi.

— C'est bien.

— Oui, c'est bien. Bien, bien.

Ensuite, plus rien. Dieu peut-il faire des miracles au niveau de la conversation ? Et, si oui, peut-on cumuler avec la multiplication des cheveux ?

17 octobre

Areski prétend que j'étais d'accord pour les concerts. Je réponds que c'était avant que je commence à chanter. Je ne savais pas ce que je disais. J'étais innocente. J'étais dingue.

— Mais alors, pourquoi tu répètes avec nous ?

— Parce que ça me plaît.

— Et tu crois que ça nous plaît, de répéter avec une fille qui refuse de sortir du studio ?

— On n'a qu'à faire des disques.

— Une vraie chanteuse, ça monte sur scène. C'est les actrices qui font semblant. Je crois qu'on va devoir te virer.

— Je crois que je vais devoir te mettre une claque.

— Vas-y. Essaie.

— Pour que tu me la rendes ? Pas question.

— Bon. Tu es virée.

— Qu'est-ce que vous allez faire sans moi ?

— En trouver une autre, qu'est-ce que tu crois ?

— Avec une aussi grosse voix ?

— Moins de voix mais plus de courage.

— Tu me traites de dégonflée ?

— Oui.

— Je ne suis pas une dégonflée.

— Alors, pourquoi ?

— Parce que j'ai peur. Rien que l'idée me donne envie de vomir.

— Qu'est-ce qui te donne le plus envie de vomir : ne plus jamais chanter ou monter sur scène ?

— Monter sur scène me donne envie de vomir. Ne plus chanter me donne envie de mourir.

— Alors c'est réglé. Tu vomiras dans les coulisses. Comme tout le monde.

— Tout le monde vomit ?

— Tu t'imagines que tu es la seule ? Pauvre nouille… Laisse tomber Blanche-Neige. Ton style, c'est Princesse au petit pois.

— Arrête de hurler… J'ai rien fait de mal, à la fin !

Après, il a fallu courir pour être à l'heure au studio. À force de me laisser brutaliser, j'étais à bout de nerfs. J'ai crié tout ce que je pouvais pour décompenser. L'avantage des cris, c'est qu'on ne comprend plus rien. Le carnage. Tout juste si on attrape un mot par-ci, par-là. Amour et Toujours résistent à tout. Le reste est littéralement explosé. Ce qui est un avantage énorme quand on pense à ce qu'écrit Tom. Un compost d'âneries. Si les nains veulent que je baisse d'un ton, il va falloir que ce type se contente de sa batterie. Pour les paroles, je me débrouillerai toute seule. C'est quand même moi qui les chante.

La Princesse aux petits pois. Je fais Princesse, les nains font Petits Pois. Blanche-Neige ou Princesse ? J'hésite. Et maintenant j'ai faim. C'est à cause des petits pois. Je ne peux pas penser à la nourriture sans me mettre à baver. Comme un chien. Quelqu'un sait quel goût ça a, les croquettes ?

18 octobre

Je ne suis pas obligée de tout leur dire. J'ai droit à une vie privée, moi aussi. Mes croyances sont à moi. Je me demande ce que je vais pouvoir raconter aux parents pour expliquer que je sors de l'appartement un dimanche matin à neuf heures. Un jogging?

19 octobre

— Le jogging maintenant? a fait ma mère.

— Tu as quelque chose contre le sport?

— Rien contre le sport en particulier. Mais je te rappelle que tu déjeunes chez ta copine. Et que tu as passé l'après-midi d'hier avec tes musiciens… Je ne vois pas où tu prends le temps d'étudier. Je pensais qu'on travaillait un peu en seconde. Que les professeurs donnaient des leçons, des devoirs à rendre…

— Je te fais remarquer que je n'ai pas une seule note en dessous de la moyenne en maths.

— Et pas une note au-dessus en histoire-géo.

— Voilà! Quand c'est bien, ça ne compte pas! Tu ne vois que les choses négatives! Jamais rien de positif dans ta vie…

— C'est toi qui me dis ça! Toi? Aurore?

— Ben oui, moi Aurore. Pas moi Miraflette…

Ce genre de discussion ne sert rigoureusement à

rien. Elle dit n'importe quoi pour me clouer le bec et elle se couvre de ridicule. J'ai préféré m'enfermer dans ma chambre. Qu'est-ce qu'elle veut exactement? Que j'aie des bonnes notes partout? Elle me prend pour qui? Pour la fille de quelqu'un d'autre? Pour me calmer, j'ai fait des exercices. Les maths, au moins, ça vide la tête. Pas trop de mots, et personne pour vous demander votre avis. Juste la démonstration, on sait le faire ou pas, et tout le monde est à égalité. Quand je pense que je dois écrire une fiche de lecture sur *La Princesse de Clèves*... Comme si j'étais intéressée. Si seulement je pouvais échanger les princesses. Clèves contre les petits pois.

20 octobre

J'en ai marre d'argumenter à perte de vue. Demain, je ne dis rien à personne, je sors sur la pointe des pieds. Dire qu'il faut se cacher pour aller à la messe... Je suis persécutée pour mes opinions. Et je vis dans l'appartement de la police. Quelqu'un devrait prendre ma défense. Il y des associations pour ça. Mais où?

21 octobre

Après avoir trompé la surveillance familiale, je suis arrivée en retard à la séance de neuf heures. Pas un reproche. Les gens avaient l'air plutôt contents de voir quelqu'un de moins de cent ans se pointer dans leur petite église. Je me suis modestement glissée sur un banc et j'ai attendu qu'il se passe quelque chose. Mais non. Rien du tout. Du baratin. Côté croyance, c'est au point mort. Je ne vois pas beaucoup de différences entre une messe et un cours de géo: on attend que ça passe et on sort déprimé.

Chez moi, personne n'avait remarqué que j'étais sortie. Si j'étais enlevée par des extraterrestres, je me demande s'ils s'en rendraient compte. Et au bout de combien de temps. Une heure, un jour, un mois, un an. Jamais. Dans un sens, ma liberté est immense. Dans un autre sens, ma solitude aussi. Heureusement que j'ai des amis.

Célianthe avait l'air sincèrement contente de me voir arriver. Les nouveaux amis sont comme ça, enthousiastes. C'est plus tard que ça se gâte. On s'excite sur les gens et après on est déçu.

En dépit de leurs diplômes, les parents ont parlé normalement. Pas le moindre mot de grec ou de latin. À quoi bon se ruiner la vie à apprendre les langues anciennes, on se demande. Je me suis sentie à l'aise comme jamais. La vérité, c'est que j'ai fait l'objet de l'attention générale. Ce n'est pas chez moi que je suscite ce genre d'effet. J'ai répondu à des tonnes de questions indiscrètes, la profession de mes parents, le nombre de mes sœurs, enceintes ou pas, et mes passions dans l'existence. Je n'aurais jamais cru connaître un tel succès mondain en tant que fille de portier. Ces gens voulaient absolument tout savoir, et surtout les noms des célébrités qui dorment dans l'hôtel. On a beau parler grec, on n'en est pas moins homme. Au registre de mes passions, j'ai évité la nourriture et la messe, par respect pour les anorexiques et pour les non-croyants. Je me suis contentée de parler de la musique, et que le groupe s'appelait Blanche-Neige, et que j'allais écrire les paroles des chansons et même monter sur scène. Les parents me regardaient avec de gros yeux fascinés. Je ne pouvais plus m'arrêter de parler. J'étais devenue une fille vraiment originale et passionnante. Pouvoirs mystifiants de la musique.

J'étais toute seule à jacasser. C'était gênant à la fin. Pour garder la bonne ambiance, j'ai posé des questions aux parents sur leur métier, mais malheureusement je savais déjà tout, des profs j'en ai déjà vu, et de toute façon ça n'intéresse personne.

Quand je me suis levée pour partir, la mère de Célianthe est allée fouiller dans un tas de CD et elle

en a sorti un qu'elle m'a tendu. Une belle voix…
Aurore… ça devrait te plaire… Jeannette Jopline…
(cette femme met des tonnes de points de suspension
entre chaque mot, c'est son style). Jeannette Jopline.
Avec un nom pareil, on peut toujours ouvrir un café
dancing. Musette et falbalas. Merci quand même…
vieille mère de Célianthe… toi et tes points de suspension mystérieux…

24 octobre

J'ai rendu ma fiche de lecture. Je n'ai pas vraiment
recopié le résumé sur un site. On ne peut pas dire
non plus que je n'ai rien recopié. J'ai un peu mélangé
les différents styles. Pour le commentaire personnel,
j'ai choisi de donner mon avis vraiment personnel
plutôt que de le pomper, ce qui n'aurait pas été très
difficile vu que les avis sur ce livre, ce n'est pas ce qui
manque. Tout le monde a le sien, le problème étant
que tout le monde a le même. En gros, le meilleur
livre du monde, patin couffin. Incroyable ce que les
gens sont impersonnels.

« J'ai eu beaucoup de mal à lire *La Princesse de
Clèves*, et honnêtement je ne suis pas sûre d'avoir tout
lu dans le détail. Je pense que ce livre est très intéressant pour une jeune fille qui est soit déjà mariée, soit

amoureuse, soit très proche de sa mère, soit à la cour d'une famille royale, soit morte depuis plus de trois cents ans. Dans mon cas personnel, je suis vivante et ma famille n'est pas royale du tout, ni de près ni de loin. Par ailleurs, je me confie peu à ma mère, et je n'ai pas l'intention de le faire dans les siècles ni les millénaires qui viennent. Je n'ai jamais été mariée à un homme plus vieux que moi, ni plus jeune, ni du même âge. Enfin, c'est le plus grave, je n'ai jamais été amoureuse. Jamais plus de deux jours en tout cas. Je suis d'accord avec vous pour dire que je manque de maturité, c'est sûr. Mais vu mes antécédents, et la longueur du livre qui est interminable, franchement, je ne peux pas avoir un avis très positif sur *La Princesse de Clèves*, qui est quand même la reine de l'embrouille et du ratage réunis. Le jour où je remplirai l'une des conditions nécessaires (mariage, amour, famille royale), je pense relire ce livre avec intérêt. On ne sait pas ce qui peut arriver dans la vie. On peut avoir des surprises. Grâce à ce cours, je sais maintenant qu'il existe un livre facile à trouver pour un prix raisonnable qui pourra m'éclairer sur mes sentiments (si jamais ils arrivent à ma connaissance). »

Pour la note, c'est difficile à prévoir. Mon avantage, c'est de dire la vérité. Mon handicap, c'est que la vérité ne vaut pas un clou. C'est la grosse différence entre le français et les maths. En français, je n'ai toujours pas compris ce qu'il fallait faire pour cartonner. J'y vais au pif et, résultat, je me plante.

26 octobre
Jeannette Jopline était une erreur d'audition. La personne s'appelle Janis Joplin. Janis Joplin. Je n'ai peut-être pas vu Dieu mais j'ai entendu Janis Joplin. Alléluia. Qui aurait fait confiance à la vieille mère de Célianthe ? Quand Janis chante, j'ai des frissons qui partent des ongles des orteils et remontent au centre de mon crâne. Pour l'instant, ma chanson préférée est *Summertime*. Je traduis : « Temps d'été ». Tonnerre de Dieu.

NOVEMBRE

L'amour, hélas, toujours

1ᵉʳ novembre

Jour des cimetières. Je voudrais que Janis Joplin ne soit pas morte. Je voudrais porter des fleurs géantes sur sa tombe. Au moins, j'aurais fait quelque chose de ma journée. Reste à trouver la tombe. Et probablement l'avion pour y aller.

Comment on peut faire ce qu'elle fait avec une simple voix, c'est l'énigme. À ce niveau de hurlement, n'importe quel organe normal explose en vol. Sauf le sien. Il monte encore. Et si Sophie entre encore une fois dans ma chambre pour me dire de baisser le son, je la tue. Impossible de se recueillir pieusement dans cet enfer.

3 novembre

Quand le bébé de Jessica naîtra, je lui ferai écouter Janis Joplin. Heureux bébé de Jessica, je suis la marraine idéale et tu ne le sais pas encore.

4 novembre

Quand je repense à mon dimanche chez Célianthe, j'ai une impression bizarre. Je me revois en train de pérorer telle une dinde. Personne ne me rembarre. Personne ne me remet à ma place. Et ces gens qui m'écoutent calmement, comme si j'étais un cas social. C'est louche. Si je pouvais rembobiner le film, je ne dirais pas un mot. Je ferais la gueule. Je chipoterais dans l'assiette. Je regarderais leurs millions de bouquins bien rangés sur les murs et je les détesterais. Tous ces trucs qu'il y a chez les gens. On se croirait chez Madame de La Fayette. Comment se fait-il que certaines personnes aient tous les bouquins, et tous les tableaux, et tous les CD, et que d'autres personnes n'en aient aucun ? Comment se fait-il que certaines personnes aient de très beaux appartements et d'autres des appartements très moches ? Je n'aimais pas ces gens. Jamais je n'aurais dû leur parler de ma musique. J'ai l'impression de l'avoir gâchée. Je vais copier le CD de Madame Célianthe et le lui rendre. Je n'en veux plus. Pourquoi ce n'est pas ma mère qui m'a présenté Janis Joplin ? Pourquoi ce ne sont jamais mes parents et toujours les parents des autres ? J'ai tiré des numéros pourris ou quoi ? Mais ça m'est bien égal. Je préfère les numéros pourris. Par ici, chers vieux numéros pourris, tout est pardonné. Je suis votre fille pourrie. Pourrie, mais solidaire.

5 novembre

— Ah oui, a remarqué ma mère. Janis Joplin. Tu te souviens, Dominique ?

— Ah oui, a répondu mon père. *Summertime*. C'était il y a un sacré bail.

— Ah oui, a soupiré ma mère, tu l'as dit. Maintenant, c'est Aurore qui l'écoute.

— Ah oui ? a fait mon père. C'est quand même marrant. Ce n'est pas sa génération. J'aurais cru qu'elle préférait Amy Winehouse.

— Ah non, j'ai dit. Certainement pas.

Qu'est-ce qu'on me veut avec cette histoire de génération ? J'ai demandé quelque chose à quelqu'un ? Et comment mon père a entendu parler d'Amy Winehouse, c'est la question.

Je n'aime pas mon époque. Je préfère celles des autres. Pas celle de Madame de La Fayette, qu'elle aille en enfer avec son vieux roi, sa vieille mère et son vieux mari. Celle de Janis Joplin. Ça m'aurait bien plu, d'être hippie au temps des hippies. Tout le monde sur la route avec une guitare et des fleurs dans les cheveux. Niveau cheveux, j'aurais eu un problème. Pas question d'y planter des fleurs. Même petites. Mais pour la route et la guitare, j'étais bonne. Ma vie est ratée. Pour une erreur de planning. C'est bête.

6 novembre

Rendu de la fiche de lecture. Note : Treize. Inespéré. Commentaire : «Amusant». Mesquin. Ce prof de français ne se foule pas. Ce ne sont pas les corrections qui l'épuisent. Je me demande si treize porte malheur. Pour une fois que j'ai une bonne note, il aurait pu aller jusqu'à quatorze. Ça ne lui aurait pas foulé le poignet.

J'ai envie de sécher la messe. Neuf heures, c'est trop tôt. Onze heures, c'est trop tard. Et les gens sont trop vieux. Tout ça pour un type, personne ne sait s'il existe vraiment. Si seulement il faisait un petit effort de son côté, je serais prête à reconsidérer l'affaire J'attends qu'il fasse un geste. Un seul petit miracle et j'y retourne, à la messe. C'est vrai, quoi, pourquoi ce serait toujours à moi de tout faire ?

7 novembre

On vient à peine de se débarrasser de *La Princesse de Clèves* qu'il faut déjà qu'on se tape un autre bouquin.

À quoi bon faire des efforts ? Ça n'en finira donc jamais ?

Ils vont être drôlement déçus de ne pas me voir à l'église. Je me demande si je ne devrais pas y faire un tour, juste pour faire plaisir. Le problème avec ce truc, c'est que c'est toute la messe ou rien. Toute la messe, c'est trop. Ce sera donc rien. J'irai en enfer. Tant pis.

8 novembre
Tristan et Iseut. J'ai retourné le bouquin dans tous les sens. Pas de nom d'auteur. Du tout. Je me demande ce que la personne avait à se reprocher. En tout cas, le résultat est là. Auteur anonyme. C'est lâche.

9 novembre
Foin de temps perdu. Je suis allée direct au résumé. C'EST LA MÊME HISTOIRE. Elle est encore une fois mariée avec le vieux type et cette andouille tombe encore une fois raide dingue d'un autre. Je t'aime, tu m'aimes, non pas toi, l'autre, évidemment c'est le dawa, et toute l'affaire se termine en eau de boudin. Bien fait pour eux. Qu'ils arrêtent de se marier à tort et à travers. Ou alors qu'ils cessent d'être amoureux. Je n'ouvre même pas le bouquin.

Que les gens se débrouillent, je ne tiens pas un courrier du cœur. Avec toutes ces bêtises, le cours de français me prend un temps fou. Par ailleurs, pour la fiche de lecture, je vais avoir du mal. J'ai déjà tout dit.

10 novembre
> « Si tu m'aimais si fort
> Que tu l'dis
> Nous serions déjà loin
> Mon amour
> Si tu m'aimais si fort
> Que tu l'dis
> T'enverrais balader
> Ta mère et ton mari. »

Les nains ne comprennent rien à mes paroles. Visiblement, à part *Les Trois Mousquetaires,* personne n'ouvre jamais un bouquin dans ce groupe. Areski m'a dit que je devrais écrire des trucs plus personnels. Je lui ai dit que j'allais réfléchir.

Lola m'a téléphoné. Elle veut savoir pourquoi je ne passe pas la voir, je ne l'appelle pas, je ne lui écris pas, même pas des mails, même pas des textos, même pas des cartes postales. C'est quand même marrant. Elle ne se manifeste jamais et elle attend mollement

que ce soit moi qui fasse les premiers pas. Elle se prend
pour Dieu ou quoi ?

11 novembre
Entrer dans l'appartement d'en face. Glousser. Faire la
bise au vieux père de Lola. Glousser. S'affaler sur le
lit et allumer la télé. Glousser. Zapper. Glousser. Se
relever pour voir s'il reste du Coca dans le frigo. Il en
reste. Mais sans bulle. Glousser. Monde miraculeux de
Lola. Paradis perdu de ma jeunesse. Je ne savais pas
que j'étais si nostalgique. L'âge, probablement.
   « Lola
   Lola
   Lola
   Lola. »
   En refrain, ça marche. Hurlé, ça marche très bien.
Dommage que je ne puisse pas m'entraîner. Aux dernières nouvelles, j'empêcherais Sophie de travailler.
N'importe quoi. Si Janis Joplin était née dans cette
famille, elle aurait rangé les Caddie devant l'hyper
toute sa vie.

12 novembre
Jessica est énorme. Elle rampe littéralement sur le
ventre. La grossesse a changé ma sœur en gastéropode.

Un véritable conte de fées. Il est à prévoir qu'elle va nous donner une quantité de petits Vladouch. Je suis la marraine potentielle d'une portée entière. Je vais devoir négocier avec Sophie. La moitié des mioches contre la moitié des médailles. Ça me paraît loyal.

J'ai emprunté *Les Trois Mousquetaires*. Jamais vu un bouquin aussi gros. Le type s'est lâché. Visiblement, personne ne lui a dit que c'était trop long. Qu'on ne compte pas sur moi pour lire ça. Je n'ai qu'une vie.

13 *novembre*

J'ai rendu Janis Joplin à Célianthe. Chacun chez soi. Renseignement pris, Célianthe aime beaucoup *Tristan et Iseut*. Particulièrement l'épisode du philtre. Philtre. Quel philtre? Même les résumés, je ne suis pas fichue de les lire en entier. Et qu'est-ce que c'est qu'un philtre, on aimerait le savoir.

14 *novembre*

J'ai relu le résumé. Bien obligée. Côté philtre, il s'agit en fait d'une potion magique. Jusque-là, ça va. Tout le monde a lu *Astérix*. Sauf qu'au Moyen Âge la potion rend fou d'amour. Merci du cadeau. Donc ce n'est pas parce que les gens sont beaux, jeunes et blindés de relations qu'ils s'aiment. Ils se sont bêtement empoisonnés à coups de philtre. Le pire dans l'affaire étant qu'ils ne l'ont même pas fait exprès. Le manque de bol absolu. Comme celui qui croit boire un grand verre d'eau et s'enfile un grand verre de vodka. Oubliez la vodka, mettez le philtre à la place, je veux dire à la place de l'eau, et vous avez *Tristan et Iseut*. Là où les choses se compliquent, c'est que le philtre périme. Au bout de trois ans. Comme une compote. Ensuite, il n'y plus rien à comprendre. On ne sait pas très bien qui aime qui et à la fin tout le monde meurt. C'est gai. Pourquoi ce prof nous bombarde d'histoires d'amour ratées sous prétexte de cours de français, l'enquête est ouverte. Mon hypothèse : sa vie est misérable, personne ne veut de lui et, malédiction suprême, il s'appelle Couette. Couette. C'est drôle. Résultat : il se venge sur les jeunes qui sont influençables et privés de moyens de se défendre.

15 *novembre*

Si quelqu'un boit un grand verre de vodka à la place d'un grand verre d'eau, risque-t-il de tomber fou d'amour sans le faire exprès ? Mon avis est oui. Mais seulement pour trois heures. Fiche de lecture à rendre dans quinze jours. On ne va quand même pas nous obliger à lire un bouquin tous les mois… Il y

a des lois dans ce pays. Protection de la jeunesse, har-
cèlement, actes de barbarie, quelque chose, quoi.

18 novembre
Déjeuner dominical dans notre appartement sans
décoration culturelle.

Comme chaque dimanche, nous avons parlé de la
gestation de Jessica qui va probablement accoucher
d'un éléphant, que Dieu les bénisse tous les deux, la
mère et l'éléphant. Comme chaque dimanche, la
conversation a connu un ralentissement au niveau de
la salade. Comme chaque dimanche, il a fallu dévier
sur le domaine scolaire. Sophie a fait étalage de ses
merveilleux succès et après, comme chaque
dimanche, je me suis creusé la tête pour raconter
quelque chose qui ne se retourne pas immédiatement contre moi. Vu que personne ne comprend
rien aux maths, j'ai parlé du français. Bon choix.
Mamie est surexcitée parce que je lis des livres. J'ai
essayé de lui expliquer que je n'y étais pour rien, que
j'étais obligée et que de toute façon je ne les lisais
pas. Mais Maman a balancé que j'avais eu treize en
avis personnel. Je ne pensais pas que ma mère s'intéressait à mes notes. Pas dans le détail. Je croyais
qu'elle voulait juste que je sois au-dessus de la

moyenne et peu importe la moyenne de quoi. Mais non. Ma mère porte un intérêt sincère à mes résultats. Avantage ou catastrophe, ça reste à voir. Emportée par l'enthousiasme familial, Sophie a tenu à préciser que j'avais emprunté *Les Trois Mousquetaires* à la bibliothèque. Je les avais complètement oubliés ceux-là. Il faut que je pense à les rendre sinon je vais finir par avoir une amende. Bref, Mamie était folle de joie sans qu'on sache très bien pourquoi. Elle a essayé d'intéresser ce vieux Papi à l'affaire. Elle hurlait TRISTAN ET ISEUT au-dessus du plateau à fromage, mais il n'a même pas levé la tête. Cette histoire médiévale nous a tenu jusqu'au café, il n'y avait plus aucun moyen de réduire ma grand-mère au silence. Ce philtre, on aurait juré qu'elle l'avait bu. Ou, vu son âge, qu'elle l'avait préparé. Jamais entendu personne s'exciter comme ça sur une histoire qui n'existe même pas. Ma grand-mère raffole de tout ce qui n'est pas prouvé scientifiquement, Dieu, philtre et le reste. À quand les petits hommes verts de l'espace ? Maman regardait sa mère avec des yeux épouvantés. Écouter sa propre mère parler d'amour à table. Pauvre Mère, je comprends ta souffrance. La prochaine fois, tu y réfléchiras à deux fois avant de claironner mes notes.

19 novembre

J'ai prêté mon CD personnel recopié de Janis Joplin à Lola. J'aurais dû me méfier. Elle préfère Amy Winehouse. Question de génération, je suppose. Je suis nostalgique de générations qui ne sont même pas les miennes. Apparemment, la nostalgie est ma nouvelle passion. Mon futur, c'est le passé.

Lola a beau appartenir à sa génération, elle ne sort plus avec personne. Depuis qu'elle a appris que Filleul de Rêve avait deux autres copines légitimes sans compter les autres qui sont secrètes, elle a décidé de ne plus croire en l'amour. Je lui ai dit de garder confiance. Un petit coup de philtre et hop, tout s'arrange.

20 novembre

La prof de maths ne vaut pas Ancelin, mais de toute façon le programme ne vaut pas grand-chose. J'y arrive. Je tourne autour de quatorze, quelquefois un peu plus, quelquefois un peu moins. Je suis devenue la fille bonne en maths. Les gens ne me regardent même plus de travers quand on rend les copies. Ils trouvent que c'est normal. La prof n'éprouve aucun sentiment particulier à mon égard, elle ne me déteste même pas. J'ai l'impression de vivre dans un monde parallèle. Peut-être que la classe entière est nulle.

Peut-être que je suis mystifiée. Je devrais changer de classe, passer dans l'autre seconde, pour voir. Je ne peux pas vivre toute ma vie dans une hallucination.

21 novembre
En français, au moins, je nage en pleine réalité. Ça me rassure. Je suis nulle, je ne comprends rien, je ne vois même pas ce que je suis censée comprendre. Le français est la pure matière qui ne sert à rien. Même le grec peut servir à quelque chose, si on doit lire en urgence des bâtons gravés sur des morceaux d'argile. Mais le français? Une fois qu'on sait lire et écrire? À quoi bon des fiches de lecture sur des bouquins qui ont six cents ans et dix mille sites?

«Mon avis est que Tristan et Iseut n'ont pas de chance: à cause d'un philtre, ils connaissent tous les ennuis de l'amour sans en avoir les bénéfices, et leur vie est ruinée. À la fin, elle se termine par la mort, qui nous attend tous, amour ou pas, j'en ai bien conscience, mais c'est un autre sujet (pour la première ou la terminale, j'en ai peur). Comme expliqué dans ma précédente fiche de lecture, mon expérience personnelle ne me permet pas d'apprécier ce livre à sa juste valeur. Je dirais même que *Tristan et Iseut* est un livre répulsif pour ceux qui envisagent d'être amoureux. Comme dit ma mère : le malheur est près des gens. Pour être franche, j'avoue que ma grand-mère est fanatique de ce livre. Difficile à comprendre quand on sait qu'elle est mariée à mon grand-père depuis très longtemps et qu'ils n'ont jamais divorcé. Mon sentiment est que tout dépend des générations. Pour les générations âgées, qui ont eu l'habitude d'une vie difficile et parfois même de la guerre, l'amour est un bon divertissement, même s'il est risqué. Nos ancêtres ont l'habitude des drogues, du tabac et de la conduite à grande vitesse sous l'emprise de l'alcool. Ils sont donc peu impressionnés par les dangers de l'amour. Pour nos générations, qui avons nos propres soucis, et notamment les pandémies à caractère sexuel, la ruine de la planète et les guerres ethniques, l'amour nous concerne moins. C'est ce qu'on appelle le fossé entre les générations.

J'ajoute que, dans mon cas personnel, le philtre me fait penser à la drogue des boîtes de nuit qui fait perdre conscience aux victimes, suite à quoi elles sont dépouillées et parfois violées. Je me demande ce qui vous pousse à nous donner ces livres, qui sont dans l'ensemble très décourageants sous le rapport de l'avenir. Peut-être voulez-vous nous avertir de ne pas accepter de verres pleins offerts par des inconnus dans des boîtes de nuit. Mais nous sommes déjà au courant, merci. Comme vous le constatez, *Tristan et Iseut*, ce livre moyenâgeux, m'a amenée à me poser de nombreuses questions. Je pense donc que la lecture est une expérience positive même si elle n'est pas à renouveler tous les mois.

Pour conclure, je ne peux pas m'empêcher de me demander ce qui arriverait si un professeur de français partageait le philtre sans le faire exprès avec une élève de seconde. Tout le monde serait dans le pétrin et il y aurait matière à un nouveau livre. En souhaitant que ma fiche de lecture vous ait plu, je vous prie de ne pas me mettre un treize. Ce n'est pas la chance qui m'étouffe, inutile d'en rajouter. »

J'attends la note.

22 novembre

Alerte rouge au bébé. Jessica a passé la nuit à l'hôpital pour ne pas accoucher. Elle est rentrée chez elle encore plus enceinte qu'avant, si c'est possible. Cet hôpital est nul.

23 novembre

　　« Le philtre
　　Le philtre
　　Ça met du vent dans les élytres. »

Élytres? Dans mon souvenir, je vois vaguement passer des ailes de coccinelle. Une remontée du cours de SVT. C'est fou tout ce qu'on retient du collège, surtout quand ça ne sert à rien.

24 novembre
Il faut que quelqu'un dise à ce bébé d'arrêter de grossir. On a remarqué qu'il était déjà bien gros, inutile qu'il continue à faire le malin. Curieusement personne n'a l'air de se faire de souci pour la mère. Il n'y en a plus que pour son futur bébé géant. Ma sœur peut grossir jusqu'à l'explosion, le public trouve ça très bien. Et moi, je suis super énervée par des trucs qui ne me concernent même pas. La grossesse me tape sur les nerfs.

25 novembre
Je n'arrête pas de rêver que le prof de français verse des philtres dans mes verres de jus d'orange. Je refuse de boire et, résultat, je me réveille morte de soif. J'en ai marre.

26 novembre
  « Pas d'amant
  Pas d'enfant

J'suis la fille qui vit sans
La fille qui se suffit
De sa vie.
Autrefois j'avais des ambitions
Un mec, un boulot, une maison
J'me suis fait une raison
J'me débrouille sans passion.
Pas d'argent
Pas de talent
J'suis la fille qui vit sans
La fille qui s'arrange
De ce qui dérange.
J'vis ma vie sans entrain
Aujourd'hui ressemble à demain
Et demain ressemble à hier
Mes jours sont tous frères.
Pas d'amant
Pas d'enfant
J'suis la fille qui vit sans
La fille qui s'ennuie
Dans sa vie. »

Je crois que je m'améliore. J'ai même une mélodie dans la tête. Je me demande ce qu'Areski en pensera. À nous la gloire, la fortune et l'adoration des foules. À nous les pages des magazines et la vraie vie des stars.

27 *novembre*

Couette ne m'a pas donné de note pour ma fiche de lecture. Juste un commentaire : «À refaire.» Moi aussi, je veux bien m'y coller, aux corrections de copies. Ce sera toujours plus vite expédié que d'écrire des fiches de lecture. À la fin du cours, je suis allée à son bureau pour avoir une petite explication. Il paraît que je parle trop de moi et pas assez du livre. J'ai poliment fait remarquer qu'il nous avait demandé un avis personnel. J'ai bien insisté sur le mot «personnel» et il a levé les yeux au ciel.

— Je vous demande de me donner un avis qui ne soit pas entièrement emprunté à un écran d'ordinateur. Voilà ce que j'entends par «personnel». Personne n'attend de vous un extrait de votre journal intime.

— Pourtant vous m'aviez donné une bonne note pour l'autre livre, le premier…

— *La Princesse de Clèves ?*

— Oui, c'est ça, Clèves. Vous aviez écrit que c'était amusant.

— C'est vrai. Je n'aurais pas dû. Il faut que vous appreniez à composer un texte qui ne soit pas qu'amusant. C'est dans votre intérêt, Aurore.

— Merci et je m'en souviendrai. Mais, pour cette

fois, je préférerais avoir une mauvaise note et ne pas refaire la fiche.

Il m'a regardée avec une sorte de tristesse dans les yeux.

— Ça vous ennuie tellement?

— Encore pire que ça, monsieur. Vous ne pouvez même pas vous imaginer...

Il a secoué la tête. Toujours son vieil air navré.

— Je m'en voudrais de vous fâcher définitivement avec la lecture. Je vous accorde un neuf, ce qui est bien payé. Mais, à l'avenir, vous êtes priée de faire un effort pour me parler du livre, et pas de vos états d'âme. Neuf, ça vous va?

Je n'en revenais pas, d'être en train de négocier avec un prof de français démissionnaire. J'ai dit oui. Il a inscrit un gros 9 sur ma feuille, il a rangé son crayon dans son cartable et il m'a souri.

— N'hésitez pas à venir me demander conseil à la fin du cours. Vous avez un potentiel. Je serais content de vous aider à progresser.

Je ne sais pas quel genre de philtre on sert aux profs de français mais visiblement celui-là s'est tapé la bouteille. Il avait l'air tellement gentil et faible que j'ai eu peur pour lui. J'ai eu envie de lui dire de faire gaffe, que son autorité était fragile, ses élèves cruels, et que les notes ne se discutaient pas. Mais j'ai pensé qu'il allait penser que j'étais amoureuse de lui rapport au philtre, et j'ai laissé tomber. Maintenant, je me sens bizarre. Toutes ces histoires de bouquins, à la fin, ça me porte sur le système.

28 novembre
Neuf et treize, vingt-deux. Divisé par deux, onze. Je suis encore dans la moyenne. Sois béni car je te porte dans mon cœur, cher vieux Couette tendre et mou.

30 novembre
Pourvu que je ne tombe pas philtrement amoureuse de mon prof de français. Ce serait ridicule. Pourvu qu'il ne tombe pas philtrement amoureux de moi. Ce serait illégal.

DÉCEMBRE

Divers miracles de fin d'année

1ᵉʳ décembre

Areski veut bien de ma chanson. Il la trouve marrante. Marrante. Incorrigible Areski. Tom trouve qu'elle est nulle. Je me fiche pas mal de ce qu'il pense. Tom, sa batterie assourdissante, ses paroles crétinisantes.

2 décembre

— Ça suffit, m'a dit ma grand-mère. J'en ai assez de t'entendre gémir à longueur de temps.

C'était malhonnête de sa part parce que j'étais dans sa voiture, que le compteur était à quatre-vingts, et que je ne pouvais pas ouvrir la porte pour descendre.

— Fais gaffe, j'ai dit, tu dépasses la limitation de vitesse.

Elle devait avoir un problème d'audition, ou de nerfs, on ne sait pas, parce qu'elle a accéléré. À fond.

— Tu n'arrêtes pas de te plaindre. Et c'est limité à cent dix.

— Excuse-moi, j'ai pas le permis. Mais ça n'empêche que tu roules vite.

— C'est ma voiture.

— Oui, mais c'est ma vie.

— Tais-toi.

— D'accord.

Elle m'a lancé un regard en coin. J'ai pensé qu'elle ferait mieux de regarder la route, surtout à cette vitesse, mais je n'ai rien dit.

— Qu'est-ce qui ne va pas, une fois de plus?

— Je peux parler, maintenant?

— Quand je te donne la parole, oui.

— J'aime pas décembre.

— Parce que tu aimes janvier? Novembre? Ou même juillet? Réponds. Tu aimes juillet?

— Non. Mais décembre est pire. C'est décembre que je déteste en premier. Il fait nuit, il fait froid, il pleut, on a le premier bulletin de l'année, les vacances sont nulles. En plus, les fêtes sont obligatoires, Noël, le Nouvel An, ça me fout le cafard quand j'y pense.

— Reste polie, s'il te plaît. Et si tu essayais de changer ta manière de voir les choses? Si tu faisais un tout petit effort pour prendre la vie du bon côté?

— Comme Sophie?

— Pourquoi pas?

J'ai arrêté de lui parler. Net. J'ai regardé la route. Si ma grand-mère préfère Sophie, qu'elle emmène Sophie faire des tours en voiture. Si c'est pour m'assommer de reproches, ce n'est pas la peine de me sortir. Je déprime très bien toute seule dans ma chambre. Là, au moins, aucune vieille conductrice dépassée par ses nerfs ne joue avec ma vie.

Je la déteste. Je la déteste. Je la déteste.

J'ai retourné le dalaï-lama contre le mur. Demain, je le décroche. Qu'ils aillent tous périr au Tibet, lui, ma grand-mère et Sophie.

3 décembre

Tout le monde me rejette, même ma grand-mère qui était ma seule alliée dans la vie. Très bien. Puisque c'est ce qu'ils veulent tous, je vais les faire, les efforts. Je vais prendre le truc du bon côté. Plus personne ne pourra rien me reprocher et ils seront bien attrapés. J'ai remis le dalaï-lama côté face et j'ai observé son sourire à fond. Je veux le même.

Je suis gentille. Je suis gentille. Je suis gentille.

4 décembre

Première soirée de la gentillesse. Je suis exténuée. Si j'oublie d'y penser une seconde, je redeviens normale et tous mes efforts sont ruinés d'un coup. Être gentille, c'est à plein temps. Alors qu'il suffit d'un instant pour être vraiment immonde.

Pour commencer je ne suis pas sortie de ma chambre avant l'heure du dîner. Le bon calcul. Tant que je ne vois personne, je ne risque pas de me planter. J'ai fait les exos de maths pour me vider la tête et ensuite j'ai souri devant ma glace avec des airs incroyablement gentils, en mettant ma tête sur le côté (gentillesse tendre), en haussant les sourcils (gentillesse étonnée), en posant mon menton dans les mains (gentillesse attentive). Entre deux sourires, je faisais des grimaces pour me détendre le visage. À force de gentillesse, je vais finir atrocement ridée à vingt-cinq ans. Ensuite, je suis sortie de ma chambre et j'ai foncé à la cuisine pour être un peu gentille avec ma mère. Elle était en train de glisser dans le four son vieux plat à gratin rempli de vieilles nouilles d'hier mélangées à des morceaux de champignons et des lardons sous vide.

— Hum, j'ai fait, ça a l'air délicieux.

Elle s'est relevée si brusquement que j'ai cru qu'elle allait s'ouvrir le front sur la porte du four.

— Bonsoir, Maman. Tu as l'air fatiguée. Tu as passé une bonne journée ?

– Aurore ?

Visiblement, elle était déstabilisée par mon assaut de gentillesse. Je n'ai pas voulu ajouter à son désarroi en restant trop longtemps dans la cuisine. Je suis sortie avec une grande impression de légèreté.

– Je vais mettre la table.

– Aurore ? a répété Maman.

Elle était sous le choc. J'ai mis la table avec une gentillesse inouïe, pas seulement assiettes, verres, couverts, mais aussi pain, sel, serviettes de table, carafe d'eau et dessous de plat. La table complète, quoi. Sophie est arrivée et m'a regardée faire avec une sorte d'ahurissement.

– Alors, Sophie, ai-je dit joyeusement, alors, alors…

Le problème avec Sophie est que je peux lui parler avec une voix pleine d'entrain mais que je ne sais absolument pas quoi lui dire. Je n'ai aucune question à lui poser, je me fiche de ce qui lui arrive, et elle m'ennuie. J'ai donc continué à chantonner affectueusement.

– Alors, alors… Alors, alors…

– Tu mets la table ?

– Comme tu vois.

J'ai retenu de justesse « espèce de gourde », qui venait pourtant naturellement dans la phrase. À la place, j'ai pincé les lèvres sur un sourire complice. Sophie s'est immédiatement réfugiée à la cuisine. Ma première récompense était donc un isolement complet. Je n'en attendais pas tant. Par chance, la clé a tourné dans la serrure, et mon père est entré. Je me suis jetée sur lui et je lui ai arraché son blouson des mains pour l'accrocher moi-même au portemanteau.

— Comment vas-tu, mon petit papa?

Il m'a lancé un regard plein de soupçons.

— Toi, tu as quelque chose à te faire pardonner…

— Eh non, papa chéri. Ce soir, c'est de la gentillesse gratuite.

— C'est louche. Je me demande si je ne préfère pas la gentillesse payante.

J'aurais pu mal le prendre. Mais la gentillesse est un sport d'endurance. J'ai eu un petit ricanement, comme s'il venait de faire une excellente blague, et j'ai essuyé une trace de poussière sur l'épaule du blouson.

J'ai gardé mon sourire tout le repas, ce qui n'était pas gagné d'avance. Essayez de mastiquer des nouilles sèches agglomérées à des champignons en caoutchouc, le tout en gardant l'œil rieur et les coins de la bouche relevés. Essayez. Pour voir. Sophie avait un immense bouton sur le nez mais je n'ai fait aucun commentaire. J'ai fixé le bouton d'un air bonasse.

— Arrête de me regarder comme ça, a dit Sophie.
Tu m'énerves à la fin.

Pure provocation. Je me suis bien gardée de répondre. J'ai porté mon air bonasse sur le plat à gratin.

— Elles sont délicieuses, ces nouilles, ai-je dit.
C'est une bonne idée, les champignons.

Et là, victoire! Victoire entière, absolue, triomphale! Maman a menacé Sophie de sa fourchette:

— Sois un peu plus aimable avec ta sœur. Elle ne t'a rien fait, pour une fois.

Sophie a baissé le nez sur son assiette. J'en ai profité pour porter le coup fatal.

— C'est rien, maman. C'est l'adolescence.

Même pas besoin de parler du bouton…

Sitôt la dernière nouille déglutie, j'ai laissé ma méchante sœur Sophie débarrasser. Je me suis repliée dans ma chambre et j'ai retourné le dalaï-lama contre le mur. Lui et son atroce sourire éternel.

Demain, je téléphone à Jessica pour prendre de ses nouvelles. Elle va être stupéfaite. Avec un peu de chance, elle va accoucher.

5 décembre

— Allô, Jessica?
— Aurore?

Elles veulent me rendre dingue à répéter mon prénom sans arrêt comme si elles le prononçaient pour la première fois.

— Oui.

Silence. Symptôme familial de l'ahurissement.

— Qu'est-ce qui se passe ?

Il suffit que je sois gentille pour qu'on pense que la fin du monde est arrivée.

— Rien. C'est juste pour te dire bonjour.

— Alors bonjour.

Et puis plus rien. Ma sœur aînée est atrocement désagréable. C'est génétique ou quoi ?

— Ça va ?

— Oui.

— Et le gros futur bébé ?

— Ça va. Il passe son temps à me bombarder de coups de pied.

Des coups de pied. Même ce futur bébé est infesté de méchanceté. C'est génétique, c'est clair.

6 décembre

Depuis le temps qu'elle est enceinte, ce bébé aurait dû naître dix fois. Ma sœur n'accouchera peut-être jamais. Cet enfant va passer des années dans son ventre. Quand il naîtra, il aura des dents, des cheveux et un cartable à bretelles. Je serai la marraine du plus vieux bébé du monde.

Dans le cadre du festival de la gentillesse, il est temps que je m'occupe d'acheter des cadeaux de Noël. Je pense à un livre de recettes pour ma mère. Elle pourra s'accomplir dans la cuisine et son entourage en profitera. Ce sera de la gentillesse à rebondissements.

10 décembre

Tout le monde espérait passer des vacances tranquilles. C'était compter sans le cours de français. Le prof est faible mais il est obstiné. Il me rappelle un cours de SVT. Sur le milieu marin. Les invertébrés. Très mous mais très solides. Ce type a la puissance des mollusques. J'aime bien la SVT. Dommage qu'il faille apprendre tous ces trucs par cœur. Parce que, au départ, c'était intéressant.

La mauvaise nouvelle, c'est qu'on doit lire un autre bouquin pour la rentrée. *Roméo et Juliette.*

J'avais déjà entendu l'expression mais je ne savais pas qu'elle venait d'un livre. Bref, *Roméo et Juliette*, c'est le titre. Le bon côté du bouquin, c'est qu'il s'agit d'une pièce de théâtre. Zéro description et autres fariboles psychologiques. Et vu que les noms sont écrits sans arrêt avec des interlignes partout, il y a moins à lire.

Pour l'auteur, c'est un Anglais (le texte est en français, mais c'est tellement bien écrit qu'on a l'impression de lire de l'anglais, on ne comprend rien). À part son nom que personne n'arrivera jamais à écrire correctement, il n'y a pas grand-chose à savoir. Aux dernières nouvelles, il paraît qu'il n'existerait même pas. Ce serait un autre type inconnu qui aurait écrit toutes ses pièces. Véridique. Après les anonymes qui écrivent des bouquins, c'est le tour des inconnus. N'importe quoi.

Roméo et Juliette est un vieux livre, on dirait que nous sommes abonnés aux vieilleries, cette année. Au moins, ma vieille grand-mère aura des trucs à en dire. Pour la fiche de lecture, je vais essayer de ne rien penser de personnel. J'ai compris le truc. Cette fois, je garde mes réflexions pour moi.

Célianthe m'a juré qu'il existait un film.

– Au moins un, a-t-elle dit. Je vais demander à mes parents.

Évidemment, ce ne sont pas mes parents qui connaissent la filmographie complète de *Roméo et Juliette*. Tout le monde n'a pas des parents dans la branche.

— Ah oui, a dit ma mère. *Roméo et Juliette.* Tu te souviens, Dominique?

— Ah oui, a répondu mon père. Il y avait ce film. Avec ce type, l'acteur de *Titanic*…

— Ah oui, attends… a fait ma mère. Leonardo DiCaprio?

— Ah oui, c'est ça! Avec Claire Danes, non?

— Ah oui, Claire Danes. C'était romantique, non?

— Ah oui, très romantique, a approuvé mon père avec un hochement de tête. Une histoire de gamins qui s'aiment. Ça pourrait plaire à Aurore.

Ma mère m'a regardée fixement.

— Je ne sais pas.

Apparemment, tout le monde a le droit d'être romantique sauf moi. Pour moi, ce sera *Massacre à la tronçonneuse.* N'empêche que mes parents connaissent *Roméo et Juliette*, le film. Ils savent même les noms des acteurs. Mes parents ont une vie culturelle secrète.

J'ai cherché à dire quelque chose pour me montrer gentille.

— Vous savez plein de trucs, tous les deux. C'est cool. Très cool.

C'est tout ce que j'ai trouvé. Mais je l'ai dit avec tellement de conviction qu'ils en sont restés muets.

Il est là, le ressort de la vraie gentillesse : faire plaisir. La gentillesse se mesure à ses effets immédiats. Entre l'aimable gentillesse et la pure hypocrisie, la frontière est assez floue.

12 décembre

Vérification expérimentale de la théorie de la gentillesse.

— Tu es très jolie ce soir, maman. Tu as changé quelque chose à ton maquillage ?

— Quelle chance d'avoir un aussi beau papa ! C'est une nouvelle chemise ?

— Ces boucles d'oreilles sont ravissantes, Sophie. Elles éclairent la couleur de tes yeux.

Ravissement général ou presque.

— Je ne suis pas maquillée, ma chérie. Je me sens assez en forme aujourd'hui, c'est tout.

— Cette chemise ? C'était un cadeau de ta mère pour mon anniversaire. Je devrais la mettre plus souvent.

— Si c'est pour que je te les prête, c'est non tout de suite. Si tu veux des boucles d'oreilles, tu te les achètes.

Ma famille est sous le charme. À part Sophie qui est rétive à toute forme de gentillesse. De toute façon, ses lunettes sont tellement épaisses que personne ne peut deviner la couleur de ses yeux sous les verres. Elle pourrait s'accrocher des poêles à frire aux oreilles, ça n'y changerait rien.

J'ai fait un tour sur l'ordi. À la surprise générale, Roméo et Juliette tombent malencontreusement très amoureux l'un de l'autre. À la stupéfaction générale, cet amour est impossible et ils se mettent la famille à dos avec leurs histoires. À la consternation générale, ils meurent à la fin. En bonus : le philtre calamiteux. Ma conclusion : lisez un livre et vous les avez tous lus.

13 *décembre*

J'en ai discuté avec Célianthe et Jabourdeau. Célianthe croit que c'est exprès. Le prof choisit volontairement des livres qui parlent d'amour parce qu'il pense que le sujet nous intéresse. L'amour est la pilule qui fait passer le livre. Et pourquoi serions-nous intéressés par l'amour ? Pourquoi nous ? Les anonymes et les inconnus n'ont pas écrit leurs bouquins pour les secondes générales, que je sache. La vérité est que ce prof pense que nous sommes des adolescents débordés par nos hormones, et que nous avons une paire de fesses à la place du cerveau. C'est de la discrimination. Voilà ce que j'ai dit à Célianthe. Elle m'a regardée d'un air bizarre. Puis elle a reconnu que j'avais raison. Jabourdeau pense juste que le prof est maboul. Je pense qu'il a raison.

14 décembre

Opération cadeaux: et d'un. Le livre s'appelle *La Cuisine des fauchés* et effectivement il ne coûtait pas cher. Pour une famille qui ne roule pas sur l'or, c'est l'idéal. Et comme ça ma mère n'aura plus à nous demander tous les matins ce qu'elle pourrait bien faire à manger le soir.

J'aurais bien aimé offrir une chemise à mon père, mais visiblement il n'existe pas de «Chemise des fauchés» Le moindre bout de tissu atteint des prix mirobolants. On se demande où les gens trouvent l'argent de s'habiller. En prenant sur les repas du soir, je présume. Je vais lui acheter un grattoir pour la tête. Économique et marrant. Ça ressemble à une araignée avec de très longues pattes flexibles et c'est prouvé, j'ai essayé, ça gratte la tête. Tout le monde aime qu'on lui gratte la tête. Mon père ne peut pas être le seul mammifère au monde à mépriser un petit grattage du cuir chevelu.

Je vais offrir des boucles d'oreilles à Sophie. Puisqu'elle a l'air d'aimer ça. Cette punaise.

Quant à Jessica, son affreux mari et son futur bébé géant, je penche pour le cadeau commun. Reste à savoir lequel. Et à espérer que cet enfant se décidera à naître un jour.

Pour mes grands-parents, j'y penserai plus tard. J'ai encore quelques jours devant moi.

15 décembre

Noël, c'est à vie. Je pense au gosse qui rassemble ses trois sous d'argent de poche pour la première fois de sa pauvre petite vie. Il est tout fier, le malheureux, il ne sait pas qu'il est en train de se prendre la perpétuité. Personne ne lui a expliqué. Après les parents viendront les enfants, et après les enfants les petits-enfants. Et je ne compte pas les sœurs et autres parasites. À moins de réussir à se passer complètement de famille (ce qui n'est pas donné à tout le monde), aucun moyen de s'en sortir. Et aucune prévention sur le sujet. Que fabriquent les infirmières scolaires pendant ce temps-là ? Elles décorent le sapin. Sans doute.

16 décembre

J'ai retrouvé une vieille boîte de Playmobil dans le placard du couloir, en dessous de l'appareil à raclette, au-dessus de la planche à repasser. Je me demande pour qui mes parents ont conservé ce truc. Pour le bébé virtuel de ma sœur Jessica, j'imagine. Il aura bientôt l'âge d'avaler les petits chapeaux.

16 *décembre, plus tard*

J'ai installé une crèche. Les fermiers font Joseph et Marie. L'âne et le bœuf font l'âne et le bœuf. Et tous le reste fait les visiteurs. Le problème est qu'il n'y a pas de gosse dans ce Playmobil. Seulement des bébés animaux, un petit chien, un petit cochon, une petite poule. Sans petit Jésus, la fête risque d'être ratée. J'ai jusqu'au 24 décembre à minuit pour en trouver un. D'ici là, je peux espérer un miracle. L'apparition céleste du bébé Playmobil.

Quelqu'un qui est allé à la messe dans l'espoir de voir Dieu a bien le droit de célébrer Noël. C'est ce que j'expliquerai (gentiment) à mes parents quand ils découvriront ma crèche au-dessus de la télé.

17 *décembre*

— Mais elle n'a rien fait de mal, a protesté ma mère, plantée devant la télévision.

— Je ne dis pas que c'est mal, a répliqué mon père. Je dis que c'est moche.

— Ce n'est pas vraiment moche, a remarqué

Sophie. C'est… C'est… Bon, d'accord, c'est moche. Mais ce n'est pas méchant.

Ensuite, mon père a gémi que tout le monde se liguait contre lui, qu'il n'était plus chez lui, que, si c'était comme ça, il ferait des heures supplémentaires, à quoi bon rentrer chez soi pour se faire houspiller, et pourquoi encore du gratin de chou-fleur au dîner, pourquoi bon Dieu cette manie du gratin?

Ma mère a crié qu'il n'avait qu'à faire la cuisine si la sienne ne lui plaisait pas, un type qui ne sait pas où sont rangées les casseroles n'a rien à dire sur le menu, et qu'il en faisait, des histoires, pour une simple petite crèche, pourquoi cette horreur de la religion, à la fin, ce n'était pas un péché de s'intéresser, surtout au moment de Noël.

Pendant qu'ils s'expliquaient, j'ai repris mes Playmobil et je les ai emportés dans ma chambre. Quand je suis revenue dans la salle à manger, ils se disputaient toujours.

— On voit que tu n'as pas été à l'école chez les curés! hurlait mon père.

— C'est quand même pas ma faute! hurlait ma mère. Ni celle des gosses!

— Hé! j'ai dit. Du calme! La crèche est dans ma chambre.

Ils se sont arrêtés de crier.

— De toute façon, je n'ai pas de Jésus pour mettre dans la paille. Je n'ai qu'une poule, un chien et un cochon.

— Un cochon? a dit mon père, l'œil brillant.

— Ah non, a dit ma mère. Ça suffit. Pas de provocation.

Mon père est un anarchiste. Pas question de le laisser jouer avec ma crèche et mon cochon.

19 décembre

J'ai acheté un cactus pour mes grands-parents. Il est petit, pointu et très piquant. Ils n'auront qu'à l'appeler Aurore.

20 décembre

Vacances. Célianthe m'a invitée chez elle pour regarder *Roméo et Juliette*. J'ai dit oui à condition qu'elle invite aussi Jabourdeau. J'aime bien sa sensibilité littéraire et autres avis personnels.

Avec un peu de chance, Jabourdeau passionnera les parents et ils me ficheront la paix.

22 décembre

Le bulletin est arrivé par la poste. Je ne dis pas qu'il

est bon. Je ne dis pas qu'il est mauvais. Je ne dis rien et je le fais signer.

— Tu vois? m'a dit ma mère en tapotant du bout du doigt mon onze en français. Quand tu fais des efforts...

Et voilà. Elle se sent obligée de dire quelque chose. Du coup, elle dit une ânerie. Bien sûr que je vois, ma pauvre mère. C'est ma vie, figure-toi.

Quelqu'un a installé un misérable sapin en plastique vert au-dessus de la télé. Étrangement, mon père n'a fait aucune remarque. Tout le monde n'a pas le même sens du moche. Par gentillesse, je n'ai rien dit. Je regarde le sapin en mangeant et j'ai envie de pleurer. Moche à ce point-là, c'est le fond du trou.

23 décembre
— Ce soir, le dîner, c'est moi, a dit mon père ce matin.

Il fallait comprendre qu'il allait s'occuper de préparer le dîner. Pas qu'il allait s'offrir en sacrifice, entouré de tomates avec du persil dans le nez. Il y a des leçons de syntaxe qui se perdent.

Ma mère n'a même pas fait semblant d'être étonnée. Elle a juste dit:

— Ah oui. Pas de gratin, s'il te plaît, Dominique.

Le soir, nous avons mangé du riz collant et des courgettes trop cuites.

— J'ai évité la viande, a remarqué mon père alors que personne ne lui disait rien. On mange trop de protéines dans cette famille.

Ensuite, il a regardé ma mère tendrement et il a ajouté :

— Tu vois, Françoise, on peut aussi faire à dîner rapidement et sans se casser la tête.

Quand Sophie a demandé ce qu'il avait prévu comme dessert, il l'a envoyée chercher des glaces dans le congélateur. Nous avons débarrassé la table pendant qu'il suçotait son magnum avec des soupirs de connaisseur.

— C'est la dernière fois, a râlé Maman en rangeant les assiettes dans le lave-vaisselle. Il me fout le cafard avec ses dîners minables.

— Je préfère encore ton gratin de nouilles, ai-je dit, et c'était malheureusement vrai.

— Les glaces, c'était mangeable, a constaté Sophie.

— Oui, a fait Maman. C'est moi qui les achète.

Mon père vient de s'arranger pour être interdit de cuisine. Comme quoi on peut être nul en syntaxe et triompher dans la vie.

26 décembre

Noël. La soirée a été complètement ruinée par l'arrivée imprévue d'un bébé chez ma sœur Jessica et mon beau-frère Vladouch. On venait de débarquer chez mes grands-parents, et les cadeaux n'étaient pas encore déballés quand le téléphone a sonné. Les deux futurs parents étaient à l'hôpital dans l'attente imminente de leur futur enfant. Résultat, ma mère s'est rongé les ongles toute la soirée, mon père lui a dit de se calmer toute la soirée, et ma grand-mère a été prise d'une crise de chantonnements nerveux. Mon grand-père était le seul adulte présent à faire celui qui s'en fichait. Et d'ailleurs, il s'en fichait.

— C'est un bon hôpital, je ne vois pas pourquoi tu t'inquiètes, a-t-il dit à ma mère, qui n'arrivait pas à rester assise sur sa chaise, on aurait juré que c'était elle qui allait accoucher.

Tout le monde a ouvert ses cadeaux en pensant à autre chose. J'aurais pu leur acheter à tous des cartes postales de la tour Eiffel. Le seul à avoir l'air intéressé était mon père qui se grattait la tête comme un dingue avec son araignée flexible. Cette hypocrite de Sophie m'a remerciée pour les boucles d'oreilles.

— Elles sont très jolies, je te les prête quand tu veux.

J'ai été obligée de la remercier hypocritement.

— C'est très gentil, mais je crois qu'elles t'iront mieux qu'à moi.

La vérité est qu'elles sont importables, on dirait des glands de rideaux. Je me demande ce qui m'a pris de les acheter. Le prix sans doute. Un euro. Sur le marché du vendredi matin. Irrésistible.

Enfin, bref, ce bébé a fini par naître, ce que Vladouch nous a annoncé en pleurant d'émotion un peu après minuit. Dans un sens, c'était le petit Jésus de la crèche qui se manifestait. Un miracle. Je me demande si c'est un appel du pied pour que je retourne à la messe.

La marraine et l'enfant se portent bien. Ma sœur Jessica aussi, du moins à ce que dit Vladouch. Cette année, le petit Jésus est une fille et elle s'appelle Rosette. Personne ne m'a demandé mon avis sur le prénom. J'aurais choisi autre chose qu'un nom de chèvre. Ce n'est pas grave, je t'aime telle que tu es, petite Rosette, tu auras ta cloche et ton piquet. Pardon, ta médaille.

Je me demande si ça fait mal d'accoucher. Il paraît que oui. Misère.

27 *décembre*

Visite de la mère et du bébé à l'hôpital. Jessica est

toujours aussi grosse. Il faut dire que Rosette ne pèse que trois kilos, ce qui représente une minuscule partie de la masse actuelle de ma sœur. Quand je pense à ce qu'elle était avant cette histoire, je suis horrifiée. C'était une jolie fille, avec une belle petite taille, de beaux petits bras, de belles petites joues. Maintenant, il faut être amoureux comme Vladouch pour la regarder avec des yeux extasiés. C'est une baleine blanche. Mais une baleine hilare. Elle n'arrêtait pas de rigoler en regardant Rosette dans son berceau transparent. À un moment, elle l'a prise dans ses bras et elle lui a donné le sein. J'ai demandé si je pouvais sortir de la pièce mais visiblement il fallait rester pour assister au spectacle. Je me suis précipitée à la fenêtre pour regarder dans la cour. Ma sœur n'est pas un phénomène de foire.

28 décembre
Rosette est moche mais il paraît que c'est normal. Non parce que son père est affreux mais parce que les bébés ont une sale tête. Il paraît que les choses s'arrangent avec le temps. Je préfère le croire. Déjà qu'elle est affligée d'un prénom difficile, ce serait triste qu'elle ait la tête assortie.

Tout à l'heure, j'ai refusé de la prendre dans mes

bras. J'avais trop peur de la laisser tomber. On ne sait jamais ce qui peut se passer. Les nerfs qui lâchent. Une brusque paralysie des bras. Un évanouissement complet sous le coup de l'émotion. Pour l'instant, je préfère éviter les risques de chute. Bref, j'ai dit non et Jessica n'a pas insisté. Elle a perdu sa taille mais elle a gardé sa tête.

Pour la médaille, j'ai le temps. Je l'offrirai le jour du baptême. Car Vladouch prétend baptiser sa fille. Il l'a annoncé à mon anarchiste de père qui n'a même pas cherché à protester. La nouvelle génération, c'est naissance, baptême et zéro négociation. Du coup, j'irai à l'église et je pourrai rendre la politesse à Dieu qui s'est manifesté, modestement mais quand même, dans cette histoire de crèche. Comment on s'habille pour un baptême? Robe blanche en dentelle et tout le tralala?

29 décembre

Je me demande si Jessica va dire la vérité au prêtre pour son piercing. Vu Jésus et ses trous aux mains et aux pieds, ça ne devrait pas poser trop de problèmes. Dans le pire des cas, elle pourra toujours se planter une croix sur la langue. Ça lui évitera de dire des méchancetés. Au moins pendant la cérémonie.

Avec toutes ces histoires, je n'ai pas fait gaffe au Nouvel An. Je vais me retrouver à déguster la dinde en famille, c'est tout vu. Qu'on ne compte pas sur moi pour être gentille dans ces conditions. La famille, cette année, j'ai donné.

30 décembre

Avalanche de miracles en série. Après la naissance miraculeuse de Rosette en lieu et place du petit Jésus Playmobil, j'ai été miraculeusement invitée par Areski à une soirée de Nouvel An. Une véritable soirée, sans la moindre dinde enfournée, sans le moindre vieux planqué dans la cuisine. Mes parents m'ont bombardée de demandes de renseignements.

– C'est chez qui?

– Chez un copain étudiant qui partage un appartement.

– Il le partage avec qui?

– D'autres étudiants.

– Étudiants en quoi?

– J'en sais rien. Je ne suis pas la police.

– Pas d'insolence ou c'est la dinde chez Mamie. Tu y vas avec Areski?

– Oui. Dans la mesure où c'est lui qui m'invite, je ne vais pas y aller toute seule.

— Areski seulement?

— Areski et le groupe.

— Quel groupe?

— Blanche-Neige.

— Quoi?

— C'est le nom du groupe. Cinq garçons. Et moi. Blanche-Neige.

— Il n'y aura pas d'autres filles?

— Je ne sais pas. Il faut que je téléphone à Areski...

— Pourquoi?

— Pour savoir s'il emmène sa sœur.

...

— Areski emmène Samira.

— Celle qui était si brillante au collège? Dont les parents t'ont emmenée en vacances?

— Oui, celle-là.

— Ses parents sont d'accord?

— Puisque ce sont des parents communs et que le frère emmène sa sœur, on peut en déduire que oui.

— Reste polie par pitié. Attends que je réfléchisse...

— J'attends.

— C'est bon. Permission accordée. Mais tu nous laisses une adresse, un numéro de téléphone et tu demandes à ce garçon de te ramener à une heure.

— Quelle heure?

— Une heure.

— N'importe quelle heure?

— Mais non, idiote! Une heure du matin!

— Une heure et demie?

— Une heure et demie. Mais pas plus tard!

— Pas plus tard, je le jure.

C'est plus Blanche-Neige, cette histoire. C'est Cendrillon. À moi citrouille, pantoufle et prince charmant.

JANVIER
Catastrophes de début d'année

1er janvier, à l'aube

Évidemment, il a fallu que Lola se colle à moi comme une maladie de peau. Je l'aime beaucoup mais sur le mode nostalgique. Au mode présent, elle me fatigue. Samira a fait une drôle de tête quand elle nous a vues arriver toutes les deux. Je ne suis pas très sûre qu'elle ait envie de me voir, moi. Alors flanquée de Lola… elle avait juste envie que je disparaisse, c'est clair. Par chance, Areski n'avait pas d'opinion sur le sujet. La seule chose qui l'intéressait, c'était de savoir si nous avions un peu d'argent pour acheter à boire. Par chance, le vieux père de Lola dans son inconscience l'avait chargée de deux bouteilles de champagne. Nous voilà donc partis pour l'appartement étudiant sous la houlette d'Areski, moi, Lola surmaquillée, et Samira qui faisait une tête de six pieds de long.

— Je te préviens, a-t-elle lancé à son frère, si c'est comme d'habitude, je me casse.

— C'est comment d'habitude ? a demandé Lola.

— C'est la zone. Ça pourrait te plaire.

Lola était tellement contente de sortir qu'elle n'a pas relevé. Si ça se trouve, elle a pris ça pour un compliment.

L'appartement était facile à repérer. On entendait la musique résonner depuis le haut de la rue. Quand nous sommes entrés, il était déjà presque dix heures et des millions de personnes s'écrasaient dans une grande pièce en s'agrippant à des gobelets en plastique blanc. Un type avec des longs cheveux s'est jeté sur Areski en lui hurlant des paroles amicales. Enfin, je suppose, parce que, avec le bruit on n'entendait rien. Après, d'autres types et des tas de filles n'arrêtaient pas de sauter sur lui en hurlant amicalement. C'était une ambiance excellente, sauf que je ne connaissais personne.

— Je sens que je ne vais pas faire long feu, a soupiré Samira dans mon oreille. C'est toujours la même chose. On s'ennuie à mourir. À moins de picoler, évidemment.

Je me suis demandé si j'allais m'ennuyer à mourir moi aussi, mais pas très longtemps parce que Lola, qui est une fille pleine d'initiative, m'a collé un gobelet dans les mains. Samira a jeté un coup d'œil dans celui qu'elle lui tendait et elle l'a refusé.

— Mais c'est du champagne ! a protesté Lola.

— Justement, a fait Samira. L'alcool, ça me soûle.

J'ai pensé que, certainement, elle ne finirait pas la soirée avec nous, et j'ai bu mon verre. Je n'ai pas bu de champagne très souvent dans ma vie et, franchement, j'avoue que c'est plutôt rafraîchissant. Bref, j'ai sifflé le gobelet.

— Et d'un, a dit Lola. Attends, je vais chercher ma bouteille avant que les sagouins me la finissent.

C'est là que j'aurais dû dire non. À ce moment précis où Lola attrape sa bouteille par le goulot et remplit mon gobelet. Mais c'est le Nouvel An, ma première fête étudiante, la musique est à fond, une foule de gens dansent sur le plancher et je ne sais pas où est passé Areski. Il a disparu englouti par le flot de tous ses amis. Bref, je bois ce gobelet, un peu moins vite que le premier. Et je bascule sur Lola.

— J'ai la tête qui tourne.

— Normal. Viens, on va danser.

Je la suis et nous voilà au milieu des danseurs en train de nous agiter comme deux possédées. D'habitude, j'ai horreur de danser en public. Quant à m'agiter comme une possédée, la seule idée me donne envie de mourir. Mais là, pas du tout. Je suis très contente. Je regarde Lola frétiller au milieu des autres, elle est belle, d'ailleurs je les trouve tous beaux et adorables et je n'arrête pas de rigoler en dedans.

— Alors ? demande Lola.

— Génial.

— Super. Tiens, on va demander à ce type de nous trouver deux gobelets…

Et hop, encore une petite dose de champagne tiède. Et hop, une nouvelle musique entraînante. Je l'ai déjà entendue cent fois, mais je ne me souviens plus où. Au supermarché peut-être. Autour de nous, tout le monde braille les paroles en chœur. Je m'y mets aussi. Ça y est. Je me souviens. Amy Winehouse. Pour une fois que j'appartiens à ma génération, j'en profite à fond. Je chante à pleins poumons et les gens me font des clins d'œil et des sourires admiratifs. Je ne vois même pas Samira s'en aller. À un moment, je la cherche des yeux parce que j'ai envie de lui dire que je l'adore, qu'elle est trop géniale, mais elle est déjà partie. Pas grave. Lola m'apporte un gobelet. Et hop. Même pas faim. Envie de danser, c'est tout. De toute façon, la vieille pizza et le paquet de chips sont morts depuis longtemps, danser est l'activité de la soirée.

— Hé, me dit Areski, arrête de boire tous les verres qu'on te donne.

Je ne l'avais même pas vu arriver. Il s'est glissé dans mon dos. Il est trop drôle, celui-là.

— T'as peur du fleup? Heu, non, du flipre… Ah non, mince, t'as pas peur du truc, là? Du philtre?

Je me trouve super drôle et je ris sans pouvoir m'arrêter. Dommage qu'Areski ait perdu tout sens de l'humour. Pour une fois, il ne rigole pas du tout.

— T'es complètement soûle. Ça suffit.

Moi soûle? Ce type est tout simplement hilarant. J'ai très envie de boire un verre à sa santé. Ça tombe bien. Il est minuit, et les gens s'embrassent et se tendent de nouveaux verres pleins. J'embrasse un tas de joues géniales que je ne connais pas. Je goûte un truc couleur de jus d'orange qui ne contient pas que du jus d'orange. Après, j'ai encore la tête qui tourne et je cherche un endroit pour m'asseoir. Je fonce contre le mur et je m'affale par terre. Je mets la tête dans mes genoux. Il fait tout noir.

— Aurore?

— Quoi encore?

— C'est moi.

— Qui c'est, toi?

— Tom.

— Viens ici que je t'embrasse, Tom. Je t'aime. Tout est pardonné.

— Tu te sens bien?

— Génial.

— Pas envie de vomir?

— Pourquoi? J'ai mangé quelque chose de pourri?

Je sens qu'on m'attrape par le bras. Quelqu'un me soulève. Quelqu'un m'entraîne vers la porte.

— Lâche-moi! Je ne veux pas partir! Je veux encore du jus d'orange! Au secours!

J'entends qu'on parle autour de moi, et puis les voix de Tom et d'Areski:

— On va respirer dehors. Elle a trop bu.

Les voix s'effacent. Il fait très froid dans la nuit. Je suis en chemisier et je grelotte.

— Oh, vous êtes deux amours, voilà ce que je dis aux garçons et puis je me plie en deux et je vomis sur le trottoir.

Areski me soutient et Tom me tient le front. Si je continue à avoir le hoquet, je vais étouffer, c'est sûr.

— Comment je fais pour la ramener à ses parents? demande Areski à Tom.

— Trouve-lui du café. Un grand bol. Ça devrait la calmer.

— Je veux pas me calmer! Je veux retourner danser!

— Il est bientôt une heure, dit Areski. C'est l'heure de rentrer.

— Mais je viens tout juste d'arriver…

C'est tellement triste de devoir quitter une fête… Pauvre Cendrillon. Et encore, elle, au moins, elle a réussi à choper un prince. Moi, rien du tout. À part une cuite. J'ai jamais le temps de rien. J'ai envie de pleurer quand j'y réfléchis. D'ailleurs je pleure. De grosses larmes coulent, on dirait qu'elles ne vont jamais s'arrêter.

— Qu'est-ce qui se passe ? demande Areski.

— Je suis tellement triste, tout est tellement triste sur la terre…

— C'est ça, dit Tom, c'est ça. Viens, on remonte et je te fais un café.

Je pleure toujours en entrant dans la cuisine. Des tas de gens sont assis sur la table et sur les meubles, ils fument je ne sais trop quoi qui ne sent pas du tout le tabac. Quelqu'un me tend un mégot. Je vais le prendre quand Areski me l'arrache des mains.

— Ah non ! Pas ça en plus !

— T'es vraiment lourd, toi, lui lance le type très gentil qui me passait son mégot. Je la plains, ta chérie.

— C'est pas ma chérie, crétin, répond Areski. C'est ma sœur.

— Excuse, fait le type. J'avais pas calculé. La famille, c'est sacré.

Et là-dessus, il se met à rigoler comme un malade sans pouvoir s'arrêter. Areski va voir une des filles qui se tient près de la fenêtre, elle se lève et, deux minutes plus tard, tous les fumeurs sortent de la cuisine. La fille me fait asseoir sur la table et prépare du café. L'odeur du café est si délicieuse que je me remets à pleurer. Comme Tom est assis à côté de moi, je pose ma tête sur son épaule et je glisse mon bras autour de lui.

— Tom, je dis, tu es si gentil, je t'aime, tu ne peux pas savoir…

— C'est la deuxième fois ce soir, fait Tom. T'as de la chance d'être une copine d'Areski et de chanter dans le groupe…

— Pourquoi?

— Parce que sinon tu m'énerverais beaucoup.

Je ne sais pas très bien si Tom me donne envie de pleurer encore plus ou de rire aux éclats. Areski me fait boire une grande tasse de café chaud. C'est bon. Ça sent le matin. Je bâille.

— Et l'autre? dit soudain Tom. Sa copine? Elle n'était pas en meilleur état quand je l'ai vue pour la dernière fois. Il serait peut-être temps d'arrêter les frais…

— Va la chercher. On les ramène toutes les deux. J'en ai marre de la garderie.

Ensuite Tom revient avec Lola, qui est furieuse et qui le traite de tous les noms. Areski l'oblige à boire du café. Elle crie qu'elle le dira à son père. On n'a pas le droit de lui faire boire du café de force. Un garçon vient demander pourquoi on lui enlève sa nouvelle copine. Areski le regarde d'un air méchant.

— C'est pas ta copine, idiot! C'est ma sœur!

— C'est pas vrai, hurle Lola, mais l'autre a déjà déguerpi.

Il est bientôt une heure et quart, je me sens très fatiguée quand nous quittons la fête. Tom se charge de déposer Lola devant sa porte et de vérifier qu'elle rentre. Pendant ce temps, j'essaie de faire glisser ma clé dans la serrure. C'est super compliqué parce que la serrure n'arrête pas de bouger, mais, à la fin, j'y arrive. Je dis au revoir à Areski. J'ai très envie de l'embrasser mais je me souviens à temps qu'il n'en est pas question, ça ne l'intéresse pas du tout. Tant pis. J'entre dans l'appartement et je claque la porte. On n'y voit rien là-dedans. Je me cogne dans le porte-manteau. Puis je me cogne dans la porte du séjour. Puis je me cogne dans celle de la salle de bains. Je rigole toute seule.

— Aurore ? fait la voix de Maman.

— Bonne année, maman chérie mon amour !

J'ai réussi à trouver ma chambre. Je me dépêche d'entrer avant que ma mère se radine. J'enlève mon pantalon et je m'effondre sur le lit. Le lit est très bas. J'ai le vertige. J'ai un peu envie de vomir. Je n'aurais pas dû boire de café, c'est clair.

1ᵉʳ janvier, vaguement plus tard

J'ai mal à la tête, j'ai mal au cœur, j'ai les yeux qui piquent, j'ai envie de tuer tout le monde. Pour un début d'année, on a vu mieux.

1ᵉʳ janvier, à midi

Maman m'a regardée de travers quand j'ai demandé un bol de café.

— Pas de thé ?

— Puisque je te demande du café…

— Tu pourrais être aimable !

— Je demande juste un café et tout de suite c'est le drame…

Elle m'énervait tellement que j'allais me mettre à pleurer quand Sophie s'est assise à table, dans son vieux pyjama Winnie l'Ourson, les yeux clignotant vaguement derrière ses lunettes.

— Bonne année, a-t-elle dit comme si on lui avait demandé quelque chose.

— Bonne année toi-même, ai-je répondu, sans blague, elle l'avait bien cherché.

Ma mère et elle se sont regardées en haussant les épaules. Je déteste leur petit air entendu. Pour me faire des reproches, elles n'ont même plus besoin de se parler. Elles se télépathent. C'est agréable.

— Et pour mon café ?

— Tu lèves ton popotin et tu prends la cafetière à la cuisine.

Popotin. Il n'y a que ma mère pour prononcer des mots aussi déplaisants. J'ai mis trois sucres dans mon café et je l'ai bu lentement pendant que Sophie et ma mère parlaient de leur admirable soirée avec mes grands-parents, Jessica et Vladouch, autour du bébé Rosette, première merveille du monde. Un truc qui n'a même pas quinze jours et elles sont déjà gâteuses. Je n'ose pas penser à ce que ça donnera dans un mois.

D'habitude, je n'ai pas beaucoup de patience. Mais là, je n'en ai plus du tout. Je ne sais pas ce qui me prend. Le café, sûrement.

J'ai fourré mon bol dans le lave-vaisselle et je me suis recouchée. Si je n'avais pas dû me lever pour le déjeuner, je serais restée dans mon lit toute la journée, les yeux fermés, à voir passer des fusées. Malheureusement, mes parents avaient invité Lola et son vieux père, dans un pur esprit de fêtes des voisins et autres balivernes, mais pour finir le vieux père est venu tout seul.

— Lola n'a pas pu se lever, a-t-il dit. Elle se sent toute patraque.

Patraque ? J'ai réprimé à grand-peine une sorte de hennissement. Ma mère m'a lancé un regard en coin et elle a ôté une assiette de la table.

— Et toi, Aurore ? En forme ? a demandé le vieux père de Lola.

— Pourquoi ? J'ai pas l'air ?

— On dirait que vous avez passé une bonne soirée, toutes les deux, a poursuivi ce type dont on se demande s'il est bête, ou dingue, ou les deux.

— Un peu trop bonne, a dit ma mère, si j'en juge par la tête d'Aurore et par son humeur ce matin.

Il a fallu que je me défende contre l'agression. Comme toujours.

— Je suis rentrée à l'heure. Même si c'était atrocement tôt.

— Heureusement, a constaté mon père. Je me demande dans quel état on t'aurait retrouvée si on t'avait laissée deux heures de plus.

C'est quand même de la folie. Ils roupillaient dans leur chambre quand je suis rentrée et ils font ceux qui savent tout… Mon père aussi est télépathe, maintenant. C'est la tendance de l'année.

– Elle sentait l'alcool au petit déjeuner, a dit Sophie. N'est-ce pas, Aurore, que tu sentais encore l'alcool ce matin?

Comment réagir? Comment éviter la surenchère de la violence? Je me suis esclaffée avec naturel, comme si j'étais transportée par le comique de ses propos.

– N'importe quoi, ai-je fait entre deux rires, et ensuite j'ai attrapé le hoquet et je me suis réfugiée dans ma chambre.

Sentir l'alcool au petit déjeuner? C'est répugnant. Mais possible. Quand je souffle très fort, une odeur de pharmacie me passe dans le nez. Drôle de truc. Je me suis assise sur mon lit et, d'un seul coup, des images de la soirée me sont revenues à la mémoire. Une, puis deux, puis trois… Au secours! Moi en train de danser comme une possédée au milieu d'inconnus qui tapent dans leurs mains en me regardant. Moi en train de vomir sur un trottoir par moins trente degrés sous les yeux (quasiment dans les bras) de mon groupe. Moi en train de pleurer comme une madeleine assise sur une table de cuisine. Moi en train de me faire remonter les bretelles par Areski. Moi… en train de dire à Tom que je l'aime… NON !!!

1er janvier, au soir
Plus je me rappelle, plus c'est pire. Un film d'horreur. Par chance, j'ai tellement mal à la tête que je ne peux pas y penser tout le temps. Ma vie est ruinée. Je n'oserai plus jamais sortir de chez moi. Samira ne m'adressera plus jamais la parole. Quant à la musique, autant dire que c'est fini. Je ne pourrai plus regarder Areski en face. Et je ne parle pas de Tom… Tom. Au secours. Tout est de la faute de Lola. Elle et ses gobelets maudits.

Quand je pense que j'étais pleine de bonnes résolutions à la fin de l'année. Les fiches de lecture. Le festival de la gentillesse. Et même un miracle divin. Que reste-t-il de tout cela au début de cette nouvelle année ? Rien. Et je n'ai pas un gramme d'énergie (un joule ?) pour remonter la pente. Commencer son année par une dépression, c'est minable. Je n'ose pas imaginer comment ça va finir.

2 janvier
J'ai réussi à ne pas mettre le nez dehors de toute la

journée d'hier mais j'ai promis à Célianthe d'aller voir son film chez elle avec Jabourdeau. Il faut bien que je sorte de chez moi. Je ne peux pas rester cloîtrée toute ma vie. Avec un peu de chance, je vais tomber sur une des joues que j'ai embrassées follement sous prétexte de Nouvel An. Pourvu qu'elle ne me reconnaisse pas, c'est mon seul vœu.

3 janvier
Encore une après-midi de perdue. J'ai dormi. Devant le film. Trop long. Trop ennuyeux. Trop laid. Même pas un cheval ou un château dans le décor. Même pas une belle robe. Ambiance série télé. Tout en moderne (américain), sauf le langage (d'époque). Ils veulent faire des économies ou quoi? Un film comme ça, ça ne sert à rien. Déjà, le titre. Roméo + Juliette. L'original n'était pas assez bien? Ils voulaient pas changer les prénoms aussi? Kevin + Jennifer? Et l'histoire? Si ça se trouve, ils ont aussi trafiqué l'histoire... La perte de temps garantie. La prochaine fois, je fais la sieste chez moi.

De toute façon, j'ai trouvé le résumé scène par scène sur l'ordi. Et je peux toujours aller vérifier moi-même. Après tout, puisqu'on est obligés d'acheter le bouquin, autant que j'en lise quelques pages. C'est bête de payer un truc et de ne pas s'en servir.

Quand je me suis réveillée, c'était la fin. Roméo + Juliette étaient super morts. Célianthe avait quitté la pièce depuis longtemps pour aller lire dans sa chambre. Tout seul devant la télé, Jabourdeau pleurait silencieusement en se frottant le nez. Sacré Jabourdeau. J'envie ta sensibilité artistique. Mais je crains ta fiche de lecture.

Côté parents, il y a eu relâche. Ils étaient au musée. Au musée. À leur âge. Véridique.

9 janvier
Areski m'a appelée pour la répétition. Il est sans rancune. J'ai été forcée de lui dire la vérité.

— Je ne peux pas venir.

— Qu'est-ce qui se passe ?

— J'ai trop honte.

— De quoi ?

— T'étais là. M'oblige pas à raconter. C'est humiliant.

— Ouh là. Si tu veux parler de ta cuite, c'est sûr que ce n'était pas glorieux. Mais je suppose que tu as dessoûlé, depuis ?

— Et Tom ? Je n'oserai plus le regarder en face.

— Aucune importance. Personne ne le regarde. Il est derrière sa batterie.

— Areski, ma carrière est fichue. J'arrête tout.

— Tu rigoles? D'abord tu me gâches la soirée, et après tu plantes le groupe… Au moment pile où ça devient bien… T'étais marrante au début mais là, franchement, tu commences à être soûlante, tu m'entends?

— Soûlante?

— Ben oui, soûlante. Toi et tes chichis de petite bourgeoise…

— OK. OK. Arrête de m'insulter. Je viens.

— Essaie d'être à l'heure.

— D'accord.

— Et à jeun.

— Si c'est pour être drôle, c'est nul.

— Tu trouves?

Et voilà. Je me suis laissée embobiner et maintenant je vais devoir dire bonjour normalement à tous les nains. Entrer normalement dans leur studio. Chanter normalement sur leur musique. Comme si je ne m'étais pas roulée à leurs pieds en vomissant plus ou moins dans la nuit. C'est inhumain.

12 janvier

Je viens d'exécuter ma fiche de lecture. Adieu,

potentiel en français! Après surf géant sur l'ordi, j'ai mélangé un tas de phrases prises ici et là pour brouiller les pistes. Résultat: un gros pudding. On ne sait pas très bien ce qu'il y a dedans et c'est dur à digérer. Pas un mot personnel, en tout cas. Garanti sans traces de journal intime. De toute façon, je n'avais rien à dire. Qu'ils s'entre-tuent comme ça les amuse, tous ces gens, je m'en fiche. Une adolescente ayant mes problèmes n'a pas de temps à perdre avec les pièces pluricentenaires d'un Anglais qui n'existe pas.

15 janvier

Rosette n'arrête pas de grossir et Jessica n'arrête pas de maigrir. À peine née, cette gosse est hyper serviable. Et elle est beaucoup moins moche qu'à ses débuts. Allez, je le dis! Elle est TROP JOLIE. Et c'est MA FILLEULE. Elle n'a pas encore l'air très maligne mais, à la vitesse où elle s'améliore, dans quinze jours c'est Einstein.

Pour le baptême, renseignements pris, il n'y a que le bébé qui a droit au déguisement. Les invités s'habillent comme ils veulent, marraine comprise. Un costume d'ange? Peut-être?

16 janvier

Pas de costume non plus. Ce sera sinistre, ce baptême.

Après, on s'étonnera que les gens n'aiment pas aller à la messe. Ils s'ennuient trop, c'est tout.

18 janvier

Lola veut venir au baptême. Elle n'en a jamais vu. Son vieux père rivalise avec le mien en anarchisme de l'ancien temps. Il déteste Dieu, les prêtres, les églises et tous ceux qui entrent dedans. On se demande ce qu'ils lui ont fait. Du coup, Lola a une envie horrible de voir ce qui s'y passe. Elle est même d'accord pour rencontrer Dieu, s'il se présente. L'espoir fait vivre. J'ai précisé que l'affaire se présentait assez mal pour elle : pas d'alcool au programme et aucun type inconnu à draguer, vu que chez les prêtres l'amour est interdit sous peine d'expulsion. Elle s'en fiche. Elle veut venir, un point c'est tout. Le seul truc, c'est qu'il ne faut rien dire à son père. Elle nous rejoindra en cachette. La rebelle, quoi.

21 janvier

Ma mère a payé la médaille et les dragées. Pour rembourser, j'ai promis de lui donner un coup de main pour les courses et le repassage. Pour les courses, c'est facile, elle me laisse des listes. Pour le repassage, ça va être chaud, j'ai jamais touché un fer de ma vie.

La médaille est ronde. Elle porte un ange gravé sur un côté, et le doux prénom de Rosette gravé sur l'autre. Et devinez quoi? C'est de l'or! De l'or pour un bébé qui n'est pas encore fichu d'attraper ses pieds... Mais il paraît que c'est la coutume et qu'on a rien à dire. En gros, la famille s'écrase et Vladouch fait la loi.

22 janvier
Ce soir, foie de porc au paprika. Recette directement extraite de *La Cuisine des fauchés*. Sophie faisait une drôle de tête. Papa faisait une drôle de tête. Même maman faisait une drôle de tête. Tout est de ma faute. Je ne pouvais pas me douter. Ça m'apprendra à acheter des livres. Pardon.

23 janvier
J'étais en retard à la répète. J'ai oublié de regarder le réveil et, quand je suis arrivée, ils avaient commencé sans moi.

— Tu as vu l'heure? m'a demandé Areski quand je suis entrée. Tu tiens vraiment à rester dans le groupe?

Je me suis glissée derrière le micro sans regarder personne.

— Pardon. C'est pas exprès. J'ai fait une chanson.

— Tu la montreras plus tard. On n'est pas à tes ordres.

— D'accord, d'accord.

J'ai fait beaucoup d'efforts pour tenir modestement ma voix, tout le monde s'est efforcé de rester en rythme et l'ambiance s'est détendue. Areski s'est même fendu d'un sourire et nous étions très contents d'avoir bien travaillé. Incroyable comme ce type est commandant. Chef par nature. Le plus étonnant, c'est que personne ne lui en veut. Ils sont tous ravis de lui obéir. Même moi. Parfois.

— Tu peux sortir ta chanson maintenant, a-t-il dit.

— Je la lis?

— D'accord. Elle s'appelle *C'est pas moi*.

« Oublie-moi
C'est pas moi
La fille
Qui t'a dit qu'elle t'aimait
Fallait pas m'laisser boire.
J'avais un verre dans l'nez.
Faut pas croire
Tout c'qu'on dit
Dans les fêtes

On est bêtes.
Oh mon chéri
Faut m'prendre au saut du lit
Quand j'sais encore c'que j'dis.
Faut jamais m'écouter en soirée
Bourrée.
C'est pas moi c'est pas moi c'est pas moi
Moi tu vois
Je n't'aime pas.
Oublie-moi
C'est pas moi
La fille
Qui s'écroule devant toi
Qui pleurniche dans tes bras
Faut pas m'sortir le soir
Faut pas croire
C'que tu vois
J'aime personne
J'suis pas bonne
Oh mon chéri
Faut m'parler en plein jour
Surtout quand c'est d'amour.
C'est pas moi c'est pas moi c'est pas moi
Moi tu vois
Je n't'aime pas.

Rappelle-toi

Oublie-moi. »

J'ai relevé la tête et j'ai regardé Areski.

— Pas mal, a-t-il dit. Au moins, pour une fois, on voit ce que tu veux dire.

— Tu trouves ? a fait Tom.

Il était toujours assis derrière sa batterie, les coudes posés sur sa grosse caisse, les baguettes croisées sous le menton.

— C'est quoi exactement, l'histoire ?

Il avait un petit sourire très sûr de lui. Le genre qui se croit irrésistible avec ses petits cheveux raides bien décoiffés sur la nuque.

— T'as écouté ou pas ? C'est quand même pas sorcier à comprendre. Même pour un batteur. Une fille a dit à un type qu'elle l'aimait, mais c'était dans une soirée. Une fois qu'elle a dessoûlé, elle tient à lui faire savoir que ce n'est pas le cas.

— Elle a une drôle de façon de lui parler pour une fille qui n'aime pas... Tu ne trouves pas ? Aurore ?

Il commençait à me chauffer avec son petit questionnaire.

— Hé, dis donc, c'est pas le jeu de la vérité !

— Arrêtez tous les deux avec vos histoires, a fait

Areski. Vous réglerez ça en privé. Ici, on travaille. Les embrouilles, c'est dehors.

— D'accord, a répondu Tom. Je discuterai en direct avec Aurore. Si j'arrive à la choper au saut du lit.

— Super drôle. Oublie pas de me téléphoner pour que je te raccroche au nez. Salut tout le monde.

Je me suis propulsée hors du studio sous le regard ironique de Monsieur Je Me La Pète Avec Mes Petits Cheveux Raides. J'étais assez énervée d'avoir une histoire personnelle avec lui et de devoir en discuter en privé en plus. Tout ça pour une chanson. C'est la dernière fois que j'écris des paroles personnelles. Si c'est pour me ridiculiser, je préfère encore brailler les imbécillités d'un batteur.

28 janvier

Six en fiche de lecture. Commentaire : « Conglomérat désarmant. Cessez de vous aider de l'ordinateur. À tout prendre, je préférais le journal intime. » Conglomérat ? Il me prend pour le dictionnaire ou quoi ? J'abandonne. Est-ce qu'on peut démissionner d'un cours ?

FÉVRIER
Cap, pic et péninsule

1er février

    « Faut pas rêver
    Un type comme toi
    N'a aucune chance
    Aucune chance avec moi.
    Oh OOOh
    J'aime pas tes cheveux
    J'aime pas tes yeux
    J'aime pas ton petit sourire
    C'est ça le pire.
    Même si t'étais le dernier homme sur la terre
    Je préférerais filer en enfer
    Plutôt que d'finir dans tes bras
    Dis-toi bien ça.
    Oh OOOh
    Mon p'tit bonhomme
    T'en fais des tonnes
    Mais t'impressionnes
    Personne.

Oh OOOh
Aucune chance j'te dis
Pas commencé
C'est d'jà fini
Trop dure la vie.
Même si j'étais vraiment plus rien
Même si j'devais mourir demain
J'en voudrais pas, de toi
Dis-toi bien ça
Oh OOOh. »

Cette fois, ça m'étonnerait que ça passe. Et je me vois mal lire le truc devant le groupe. Je vais bricoler ma musique moi-même. Sur Garage Band. Tranquille. Guitares et basse. Clavier à la rigueur. Cuivre à la limite. Pas de batterie, ça va sans dire.

2 février
J'ai emballé des dragées toute la soirée dans des mousselines grotesques. J'aime pas les dragées. Elles crissent, elle craquent, on a l'impression d'avaler des bouts de ses dents. Pourquoi des dragées ? Pourquoi pas des Chamallow ? Exactement les mêmes couleurs, en version molle. Demain, repassage. Corvées à perte de vue. Ce baptême commence à ressembler à une punition.

3 février

Je ne repasse pas mes habits. J'ai bien le droit d'aller chiffonnée si je veux. Je ne repasse pas les habits de Sophie. Je ne suis pas sa bonne. Je ne repasse pas les chemises de Papa. Maman me l'a interdit. Je ne repasse pas les affaires de Maman. Elle y tient. Je ne repasse pas les draps. Personne ne repasse les draps. Je repasse les serviettes de toilette. Et j'ai quand même trouvé le moyen de me cramer la main. La gauche, bien sûr. Elle est désormais emballée dans un splendide bandage couleur moutarde. Pour le baptême, je serai en momie. Fin du repassage.

4 février

Couette nous emmène au théâtre. On ira le soir. Tous ensemble. En troupeau.

    — C'est obligatoire ? a demandé Jabourdeau.

    — Non, mais c'est vivement conseillé.

    — Et si on n'y va pas ? a insisté Jabourdeau.

    Couette a levé les yeux au ciel, c'est son truc. Je sais ce qu'il pense. Il pense que Jabourdeau est un barbare qui préfère passer sa soirée à écraser des gosses virtuels à coups de télécommande plutôt que d'aller au théâtre. Il ne sait pas que Jabourdeau a tellement pleuré devant le film qu'il a peur de sangloter au théâtre. Devant toute la classe, en plus. C'est bien la peine de lire des tonnes de bouquins pour manquer de psychologie à ce point. On croit que les gens qui lisent sont plus sensibles que les autres. Illusion. Ils sont pareils que les colonels de l'armée et autres surveillants de prison. Des fois ils sont sensibles, des fois pas du tout. Les livres n'y changent rien. Pauvre Jabourdeau, pauvre petite biquette méprisée.

À l'interclasse, je me suis précipitée sur Jabourdeau pour le consoler. La vérité est qu'il est super vexé d'avoir pleuré devant la télé.

— Tu dois me prendre pour une gonzesse. Mais ce film, ça m'a rappelé des trucs. J'ai pensé à mon chien qu'on a empoisonné parce qu'il aboyait sur le balcon. C'est le voisin qui lui a filé des boulettes. Un jour, je le tuerai, ce salopard...

Jabourdeau s'est mis à me parler de son chien pendant des heures. Impossible de l'arrêter. Visiblement, l'histoire du poison l'a beaucoup marqué. C'est tout ce qu'il a retenu. Après tout, c'est peut-être lui qui est dans le vrai. Montaigu-Capulet, c'est son histoire de balcon à lui. Il connaît mieux que Couette la haine et ses ravages. Tragique Jabourdeau.

— Et l'amour, Jabourdeau?

Là, il est devenu tout rouge et il m'a regardée comme si j'étais dingue.

— De quoi, l'amour? De quoi, l'amour?

La sensibilité de Jabourdeau, c'est de la psychologie des profondeurs.

5 février

La prof d'histoire-géo ne me lâche pas d'une semelle. Je ne suis pas une flèche, d'accord... Je ne sais jamais qui est qui, quoi est où, ni combien de temps ça dure, ni combien de tonnages ça pèse. En gros, je ne vois même pas de quoi elle parle. Du coup, j'ai un peu laissé tomber l'affaire. Je me suis fait une raison. Je pourrais dormir au fond de la classe sans embêter personne. Mais non. Il faut qu'elle me réveille sans arrêt. Elle est prof principal. Elle se croit obligée de me persécuter au nom de tous les autres.

— Vous espérez passer en première? Ou vous comptez redoubler toutes vos classes jusqu'à ce qu'on vous mette dehors?

Elle m'agite son index sous le nez. Je suis bien obligée de répondre. Mais quoi?

— Je ne sais pas. C'est pas moi qui décide.

Visiblement, ce n'est pas la bonne réponse.

— Mais enfin! Qu'est-ce que vous croyez? Per-

sonne ne travaille à votre place! Ou plutôt ne travaille pas! Si encore vous étiez idiote… Mais non.
Vous êtes paresseuse…

Paresseuse? Moi? Une fille qui écrit des chansons. Qui ne manque jamais une répète. Qui tient
son journal. Qui prépare un baptême. Qui se
débrouille en maths. N'importe quoi.

— Sincèrement, je crois que je suis plutôt idiote.

— Répondez poliment!

— Mais je suis polie… Qu'est-ce que j'ai dit de
mal?

Et hop. Deux heures de colle. Morale: les pares-
seuses font des heures sup.

Des fois, j'ai envie de retourner en troisième. De
retrouver Ancelin, la meilleure des profs de maths.
De recommencer à travailler avec elle. De devenir
bonne en quelque chose. Si seulement sa sœur était
prof de français… Ou de langues. Ou d'histoire-géo.
Ou de tout en même temps. Je pourrais devenir
Célianthe. Qui sait. J'apprendrais le grec. Le grec.
Quel cauchemar. En attendant, aucune nouvelle
d'Ancelin. Elle m'a plaquée, c'est tout.

6 février
La pièce, c'est *Cyrano de Bergerac*. L'arnaque, c'est que

la sortie ne suffit pas. Il va falloir acheter le livre. Le lire. Faire une fiche. Chez Couettte, on ne va pas au théâtre pour s'amuser.

L'auteur s'appelle Edmond Rostand. Pour une fois, il existe. La blague, c'est que le titre existe aussi. Et qu'il a écrit des pièces. *Cyrano de Bergerac*, l'homme à tout faire. S'y retrouve qui peut.

— Ah oui, *Cyrano*. Il y avait ce film, là… Tu te souviens, Françoise ?

— Ah oui. C'était formidable. Avec Depardieu. Et cette fille, là… Tu te rappelles, Dominique ?

— Ah oui, Anne Brochet. Sacré bon film, hein, Françoise ?

— Ah oui, tu l'as dit. Je me demande si on ne l'avait pas acheté…

Voilà maintenant que mes parents sont des cinéphiles enragés. Moi qui les prenais pour des taupes.

7 *février*

J'ai dit à Célianthe que mes parents connaissaient le film et que d'ailleurs ils l'avaient acheté. Je n'ai pas dit qu'ils l'avaient perdu et qu'ils le cherchaient partout. Célianthe m'a répondu que ses parents avaient vu la pièce, et que d'ailleurs ils l'avaient emmenée avec eux. Madame Toujours Mieux. Elle m'énerve.

N'empêche qu'elle est bonne pour se taper le théâtre deux fois. Ça lui apprendra.

9 février

Baptême. Le prêtre et Rosette étaient assortis, en robe longue tous les deux. Les autres étaient habillés en civil, sauf Lola, qui s'était déguisée en foire, avec jupe à fleurs, veste à volant et maquillage de fête.

— Tu fais honte à mon baptême, voilà ce que je lui ai dit (à voix basse) sur le parvis de l'église.

— C'est ton baptême? a-t-elle demandé en écarquillant les yeux d'envie.

— Non, mais comme je suis la marraine, c'est un peu pareil. T'as vu comment t'es habillée?

— Je ne peux pas m'empêcher. C'est plus fort que moi.

À ce moment-là, le prêtre est sorti pour nous chercher et j'ai bien vu au regard de Lola qu'elle adorait son costume et qu'elle ne regrettait pas du tout le sien.

Maman m'avait fait un pansement tout propre sur la main. Heureusement, car j'ai dû porter le bébé pendant la cérémonie. Sur les photos, on verra un gros pansement moutarde portant un gros bébé en dentelle au-dessus d'une grosse baignoire à oiseaux.

Rosette s'est très bien comportée. Pas une larme quand on lui a mis de l'eau sur la tête. Elle regardait partout avec des yeux très intéressés comme si elle voulait louer l'église pour y passer ses vacances.

Après, c'était remise de médaille et goûter festif en famille, flanqués de quelques amis et du prêtre que Vladouch avait invité. Lola virevoltait autour de ce pauvre type qui avait laissé tomber son costume folklorique. En pantalon gris, il avait l'air presque normal. Elle le bombardait de questions sur le baptême, sur l'Église, sur Dieu. Ça n'en finissait pas, ce prêtre ne s'en sortait pas du tout et il a fallu dépêcher une aide d'urgence. J'ai entraîné ma copine insortable vers la table. Et là, horreur, malheur, mon père à débouché une bouteille de champagne. Qu'est-ce qu'ils attendent, tous ? Que je danse en string sur les tables ?

Il a rempli une coupe qu'il m'a tendue :

– Pour la marraine !

– Ouh là, j'aimerais autant pas...

– Du Perrier, alors. Pour les bulles.

Et voilà comment je me suis retrouvée à boire du Perrier pour le baptême de ma filleule Rosette, tout en regardant Lola s'enfiler ma coupe avec des claquements de lèvres. Ma meilleure copine est **une** ivrogne. Pas question de la laisser prendre le bébé dans ses bras. Le prêtre si elle veut. Mais pas le bébé.

11 février

Couette a une nouvelle technique. Il nous a interdit de lire la pièce. Il faut attendre son autorisation. Son autorisation. On rêve. En attendant, il n'arrête pas de nous expliquer des trucs sur la pièce, et sur son auteur, et sur son personnage, et sur ses critiques désagréables... Il nous a même raconté toute l'histoire. Et il a distribué des images ! Portraits du vrai et des faux Cyrano, du vrai Edmond Rostand, des acteurs vrais et faux... Ce type fait une concurrence sauvage à Internet. D'après Célianthe, il en a marre que ses élèves aillent prendre n'importe quelle ânerie sur n'importe quel site. Il préfère encore nous mâcher le travail. D'après Jabourdeau, il est dingue. Je crois que Jabourdeau a raison. C'est un suicide professionnel en direct. J'aime bien quand Couette nous raconte des histoires, au lieu de nous obliger à lire des bouts de textes inconnus et à répondre à des questions qui n'intéressent que lui, et encore, on ne sait pas. J'aime bien quand n'importe qui me raconte une histoire.

Je ne vois pas pourquoi je n'ai pas le droit de lire ce livre. On avait bien le droit de lire les autres, et

pourtant c'étaient aussi des histoires d'amour foi-
reuses avec des héros qui meurent à la fin. C'est
quand même un comble qu'un prof nous empêche
de lire. Si ça continue, on va devoir lire en cachette.
Je me demande si c'est légal.

12 février

Quand je donne son biberon à Rosette, je lui répète
«Aurore» à peu près dix mille fois. À mon avis, ce
sera le premier mot qu'elle dira. Jessica prétend que
je suis une imbécile parce que son premier mot sera
Maman. Et qu'Aurore sera son centième mot, après
tous les autres, Papa, Bébé, Biberon, Mamie, Papi…
et même Sophie. Si elle fait ça, je reprends ma
médaille.

Je remarque que Tom, qui devait m'appeler le
matin pour avoir une conversation privée, n'a toujours pas trouvé mon numéro de téléphone. Je
remarque que les batteurs qui ont des petits cheveux
laqués sur la nuque parlent beaucoup mais ne font
pas grand-chose.

13 février

Couette a organisé une projection de cinéma dans la
salle des fêtes. Évidemment, ce n'était pas pour se

taper *Dirty Dancing*. C'était *Cyrano*. Le suspense était assez mince, vu que tout le monde connaissait l'histoire. Mais les décors et les costumes étaient très bien, et les acteurs merveilleusement normaux. Pas du tout Cyrano + Bergerac. Les spectateurs étaient très satisfaits, surtout d'avoir séché deux heures de cours sous prétexte de cinéma scolaire. Quand la lumière s'est rallumée, Jabourdeau pleurait. Son chien a reçu une bûche sur la tête. Qui sait ?

15 février
Suite des festivités. À l'initiative de son maître vénéré, j'ai nommé Sébastien Couette, la classe entière s'est transportée au théâtre, pour assister à sa pièce de théâtre préférée, *Cyrano de Bergerac*. Je me demande à quelle étape de cette incroyable aventure je vais en avoir super marre. Dans un sens, ça ne saurait tarder. Dans un autre sens, on n'y est pas encore. Mais on y va. Couette prétend qu'il existe un opéra Cyrano, et même un ballet. Il est capable de nous faire écouter la musique, s'il met la main dessus. À quand l'atelier de poupées Cyrano ? À force de cyranoter, même des élèves moyens finissent par retenir des bouts de texte par cœur. Tant mieux parce qu'on n'y comprenait pas grand-chose. Tous ces gens

déguisés qui criaient sur leur plateau en courant dans tous les sens, ça manquait tragiquement de gros plans. Quand la pièce s'est terminée, Jabourdeau dormait. Je le sais. J'étais assise à côté de lui. Les applaudissements l'ont réveillé. Notre classe a beaucoup applaudi en tapant des pieds, c'était une sorte de réveil général. Dans l'ensemble, Couette a trouvé que nous nous étions très bien tenus. Quand nous sommes sortis du théâtre, il faisait nuit et les rues étaient presque désertes sous la lune. J'avais l'impression que la ville n'existait que pour nous. Nous sommes remontés dans le bus, un peu fripés mais de bonne humeur. Tous les garçons se prenaient pour Cyrano, qui cherche tout le temps la bagarre, et moi aussi. Sans vouloir dénigrer complètement le théâtre, il faut bien dire que c'était le meilleur moment de la soirée.

16 février

Vacances, le retour. Les filles qui peuvent passer leurs vacances à étudier tranquillement dans leur chambre et à faire la sieste pour se reposer de leurs efforts ont bien de la chance. Pour moi, ce sera répète tous les jours. Areski ne veut même pas en discuter. La répète ou la porte. Dans le fond, c'est quand même un peu à cause de lui si je suis nulle en diverses matières. Il me prend la tête avec son groupe. Je n'ai plus le temps d'apprendre mon histoire-géo.

Lola a avoué à son père qu'elle était allée à un baptême dans une église et qu'elle avait rencontré un prêtre. Son père a dit qu'il allait porter plainte contre le prêtre (c'était une blague). Depuis, il n'arrête pas de lui poser des questions sur Dieu, pour lui demander ce qu'elle pense d'Allah ou de Jehovah ou de Bouddha ou de l'Empire du Ciel, et autres moqueries qui ne font rire personne. Cette pauvre Lola croyait qu'elle allait l'énerver et qu'il lui passerait un savon. Mais c'est tout le contraire. Il a l'air enchanté. Il rayonne. On dirait un cochon qui vient de trouver une truffe. Il a mis le nez dessus, il n'est pas prêt de lâcher l'affaire. Pauvre Lola. Il n'y a rien de plus plombant qu'un vieil anarchiste qui a trouvé une truffe. C'est ce que je lui ai dit. Elle m'a rétorqué que je n'avais pas à dire du mal de son père. Que c'était à elle d'en dire, point à la ligne. Je lui ai dit qu'elle avait mauvais caractère, en plus d'être alcoolique et habillée comme une foire. Elle m'a dit que j'étais une punaise prétentieuse et elle m'a raccroché au nez. Je me demande ce qu'en penserait le prêtre.

17 février

Je n'arrête pas d'essayer de me souvenir de passages de la pièce pour me les réciter. Malheureusement, j'ai toujours les mêmes vers dans la tête. C'est pire qu'une chanson idiote à la radio. Si seulement j'avais le livre, ce serait plus simple. Je pourrais le lire, même si c'est interdit. Tant pis, j'ai trop envie. Va au diable, Sébastien Couette. Je l'achète.

18 février

Mamie m'a demandé si je voulais venir passer quelques jours dans sa maison pendant les vacances. J'ai failli dire oui. Puis je me suis rappelé qu'il fallait que j'aille aux répètes, que je me réconcilie avec Lola, que je repasse quelques torchons, que je lise un livre en secret, et j'ai dit non. C'est quand même bizarre... J'ai une vie maintenant. Une vie à moi toute seule. Je ne l'ai pas vue venir, celle-là. Quand je pense à Mamie qui va se retrouver chez elle avec Papi qu'elle connaît par cœur et qui n'est pas très rigolo, je me sens triste. J'ai envie de redevenir petite. De me coller dans ses bras. Qu'elle me raconte à voix basse une bonne histoire d'ashram en Inde. Mais c'est fini. Trop vieille. Pas elle. Moi. Je suis complètement déprimée. Je me déteste.

19 février

Après tout, je ne vois pas pourquoi je me mets la rate au court-bouillon. Si elle veut pouponner, elle n'a qu'à inviter Sophie. Jessica en a profité. J'en ai profité. Son tour est arrivé.

Cette nouille de Sophie est folle de bonheur. Mamie vient de l'inviter à passer les vacances chez elle. Je suis sûre qu'elle va l'installer dans ma chambre. C'est odieux. Je les hais. Toutes les deux.

Jessica a sa fille. Sophie a sa grand-mère. Je suis seule au monde. Il fait nuit. Ma mère prépare malheureusement un ragoût à l'ananas et aux navets (*Cuisine des fauchés,* page 38). En plus, c'est les vacances.

20 février

Visiblement, c'est pas les vacances pour tout le monde. Sonnerie de téléphone à dix heures du matin. Pas question que je sorte du lit alors que personne ne m'oblige, vu que mes parents sont au boulot et ma sœur Sophie dans ma chambre chez Mamie. Je laisse donc le répondeur, et j'entends la voix d'un certain batteur retentir dans l'appartement. «Aurore, c'est pour avoir une petite discussion avec toi. Je te laisse mon numéro…» Et bla bla bla. Impossible de me rendormir tranquillement. État d'énervement extrême. Bonds divers dans l'appartement. Si ce type croit que je vais le rappeler, il se trompe gravement.

21 février

Areski a donné les rendez-vous en plein milieu de l'après-midi, histoire de bien ruiner les journées. Impossible de faire un projet normal, d'aller au cinéma, à la patinoire, à la piscine. J'ai juste le temps de me réveiller, de bondir dans l'appartement et d'y aller. Quand je rentrerai, je serai complètement claquée. Pire que le lycée. Le lycée, au moins, on est obligés. Là, c'est gratuit. Areski est en train de bousiller ma vie. Il faut que je lui dise que j'arrête. Je quitte, je démissionne. Mais j'ose pas. Hélas.

C'est pas Cyrano qui se laisserait pourrir l'existence par un groupe doté d'un chef tyrannique et d'un batteur maniaque du téléphone.

22 février

Il est pourri, ce studio. Jouer dans une cave minuscule, noire et qui sent les pieds, c'est mortel. Je sais bien que le type le prête à Areski parce que c'est un copain et que, si on voulait mieux, il faudrait payer.

Est-ce que c'est une raison pour se ruiner la santé à longueur de vacances? Comment s'étonner dans ces conditions que j'écrive des chansons un peu déprimées?

— Aurore, ce serait bien que tu arrêtes de faire la gueule. Cinq minutes au moins. Et que tu reprennes à «Vie pourrie, vie moisie». Un peu moins hurlé si tu veux bien. On a compris que tu en avais gros sur la patate, pas la peine d'en rajouter, on n'entend plus que toi.

Ce genre de remarques, je préfère laisser tomber avant que ça dégénère. J'ai peur que mes mots dépassent ma pensée. Cyrano, si quelqu'un voit ce que je veux dire. Je garde mes réflexions pour moi et je recommence «Vie pourrie, vie moisie», en faisant bien gaffe à ne pas écraser la pauvre guitare asthmatique de Julien. J'en connais un qui va être surpris quand j'oserai lui dire qu'il peut se chercher une autre chanteuse. Il n'a qu'à demander à sa sœur, s'il trouve qu'elle a meilleur caractère que moi.

À la fin, tout le monde se salue aimablement, se dit à demain et prend le chemin de son petit chez-lui. Tout le monde sauf Tom qui, par hasard, marche sur le même trottoir que moi. Ce trottoir, jusqu'ici c'est le mien. Lui, normalement, il part en sens inverse. Rentre chez ta mère, Tom. Voilà ce que je pense à toute force et que cette glu ne veut pas entendre. Rentre chez toi, pauvre chose, je ne t'ai rien demandé.

— J'ai appelé chez toi ce matin. Tu as eu mon message ?

— Non. Mes parents peut-être, c'est leur téléphone. Moi, j'ai un portable.

— Le numéro ne marche pas.

— Un portable mais plus d'abonnement. C'est trop cher et j'ai pas assez d'amis pour justifier la dépense.

— Donc on ne peut pas te téléphoner ?

— Ah non, on ne peut pas.

— Sauf sur le téléphone de tes parents...

— Si on veut mais c'est leur téléphone.

— Tu ne veux pas me parler.

— Pourquoi tu dis ça ?

— Pour rien. Ce n'est pas grave. J'avais juste un truc à te dire. Je ne t'en veux pas d'écrire les chansons à ma place. Je ne t'en veux pas de t'être jetée sur moi la nuit du Nouvel An. Je ne t'en veux pas de m'avoir vomi sur les chaussures. Je te trouve plutôt sympa quand tu ne fais pas la gueule, et j'aime bien ta voix. Et ce n'est pas la peine de te méfier de moi :

je ne te drague pas, je n'ai pas l'intention de le faire
et tu n'es pas du tout mon type de fille. C'est tout.

— Ah ben, c'est sympa… Tu préfères ma copine
Lola ?

— Quoi ? Elle a l'air encore plus tarée que toi.

— Alors tu me trouves moche.

— J'ai pas dit ça.

— Mais c'est pareil. Très moche même, peut-être.

— Ah non. Pas du tout. Tiens, on arrive devant
chez toi. Salut. À demain.

Je suis moche. Ma mocheté m'interdit d'être
aimée. Je suis l'amie de n'importe qui et l'amoureuse
de personne. Je suis Cyrano de Bergerac.

« Mon ami, j'ai de mauvaises heures,
De me sentir si laid, parfois, tout seul… »

Je rentre chez moi. Rideau.

23 *février*

Je me vautre dans *Cyrano*. C'est l'histoire de ma vie.

Le balcon. Tous ces balcons… Pas de pièce sans
balcon, visiblement. Quelqu'un sait où est passé le
philtre ?

26 *février*

J'ai gardé Rosette deux heures ce matin pendant que

Jessica allait chez l'esthéticienne. Se faire belle pour plaire à Vladouch : c'est marrant. Comme elle était réveillée, j'ai demandé à Rosette si elle me trouvait moche. Elle me regardait avec des yeux plissés. Elle n'avait pas du tout l'air de me trouver affreuse. Je devrais vivre au milieu de nourrissons. De chiens aussi, peut-être. Je suis sûre qu'un bon chien ne voit pas la mocheté de son maître. Il faut que je demande à Jabourdeau. Il doit en connaître un rayon. Quand Jessica est revenue chercher sa fille, j'ai cherché discrètement ce que l'esthéticienne avait bien pu lui faire. On ne voyait rien. Cette dinde aurait pu jeter ses sous dans le caniveau, c'était pareil. Bref, quand elle a pris Rosette dans ses bras, la merveille a prononcé mon nom. Elle a arrondi la bouche et elle a fait « O ». Elle me parlait, c'est clair.

— T'as entendu ! Elle a dit mon nom !

Jessica s'est moquée de moi. Elle est jalouse comme une teigne.

— Pas du tout. Elle a dit « Sophie ».

— Mais non, elle a dit « O ».

— Comme SO-phie, oui.

— Mais enfin ! Il y a deux « O » dans mon nom. AU-RO-re. Si elle avait voulu dire « Sophie », elle aurait dit « I ». Mais là, elle a dit « O »…

Jessica se tordait de rire, on voyait son piercing. Elle avait de la chance de tenir Rosette dans les bras parce que je lui aurais envoyé une claque avec plaisir. Pour me venger, je lui ai donné les restes du ragoût à l'ananas et aux navets que Maman avait compactés dans une grande boîte en plastique.

— Maman l'a gardé pour vous.

— C'est gentil. Tu lui diras merci.

Je me demande ce qu'en pensera Vladouch. Ce ragoût, c'est le genre d'épreuves dont un couple ne sort pas renforcé. Bon appétit, les amis.

27 février

Maman n'était pas très contente que Jessica ait piqué les restes.

— Elle n'a que ça à faire, de cuisiner !

— Elle doit aussi aller chez l'esthéticienne.

— L'esthéticienne ? Mais elle est folle ?

Maman ouvrait des yeux effarés et tournait dans la cuisine comme une pauvre petite bête égarée hors de son biotope.

— Elle exagère ! Qu'est-ce que je fais à dîner, moi, maintenant ? Ce ragoût, il avait sa deuxième chance… Et c'est toujours meilleur réchauffé…

Meilleur ? Meilleur que quoi ? Résultat, elle nous

a fait des croque-monsieur économiques sans jambon et sans gruyère (page 27). Je n'en peux plus. Je vais le préparer, moi, le dîner. Au point où on en est, ça ne peut pas être pire.

MARS
Reine d'un jour

2 mars

J'ai écrit un truc.

    « Quels sont mes sentiments ? Je ne sais pas moi-même
    Si ce type mérite l'amitié ou la haine
    Je me pourris la vie avec de faux problèmes,
    Domaine où il paraît que je suis passée reine.

    Malheureusement pour moi j'y pense sans arrêt
    Ses regards, ses sourires, ses petites réflexions
    Me reviennent à l'esprit et j'en suis obsédée
    Tout en lui refusant la moindre affection.

    Je rêve à tout hélas jusqu'à ses courts cheveux
    Qui rebiquent sur sa nuque, jusqu'à sa nuque même
    Où je me vois poser un baiser c'est affreux.

    Cela voudrait-il dire par malheur que je l'aime ?
    Je ne suis pas son genre, il dit me trouver moche,
    Sympa bien sûr mais moche, c'est quand même vexant
    D'être une pauvre chose dont le désir s'accroche
    À un batteur cynique et fort assourdissant.
    Je veux le détester, je n'y arrive pas,

Pour détester pourtant, je sais me poser là.
Il y a d'autres gars, sur la terre, mais voilà,
Je le déteste trop : il ne me quitte pas. »

Appelez-moi Edmond Rostand. Ou Edmond, tout simplement. À la bonne franquette. Si, si, je vous assure, c'est à moi que ça fait plaisir.

3 mars

Edmond Rostand mais pas Ratatouille. Je pensais qu'on ne pouvait pas faire pire. Erreur. Je viens de pulvériser le record maternel mondial du dîner économique immangeable. Avec une tarte au boudin (page 52). Eh oui, au boudin. Les convives sont sous le choc. Sanction immédiate : je suis interdite de cuisine jusqu'à nouvel ordre.

5 mars

J'ai relu ma chanson. Sans blague, ce maudit batteur a raison. Quand on lit ce que j'écris, on dirait que je suis amoureuse. J'en ai super marre. J'y suis pour rien, monsieur le juge. J'ai rien fait. C'est pas de ma faute. Je m'en bats l'œil de l'amour, je l'ignore. C'est lui qui me harcèle. Qu'est-ce que je lui ai fait, à la fin ? Je préférerais attraper la varicelle. C'est vrai. Une bonne varicelle et on n'en parle plus.

6 mars

Ci-gît Aurore, noyée dans un bol de philtre.

7 mars

De toute façon, je suis moche. Plus je me regarde
dans la glace, plus je suis moche. Chaque morceau est
pire que le précédent. Les yeux, la bouche, le nez, le
menton, tout est à jeter. Si seulement on n'était pas
obligés d'avoir un nez et un menton… Si seulement
les cheveux n'existaient pas… Même mes seins sont
moches, ils sont petits avec des sortes de mini marsh-
mallows au bout. Et je ne parle pas de mes fesses. Je
n'en ai pas. Au moins, on ne peut pas me forcer à les
étaler au grand jour. Je devrais vivre dans une boîte.
Au fond d'un placard. À côté des Playmobil. On me
sortirait une fois par an. On m'exposerait sur la télé.
Pour Halloween.

8 mars

J'en peux plus de ces répétitions. Si seulement je
pouvais tomber malade. Ils seraient bien forcés de
trouver quelqu'un pour me remplacer. Varicelle, mon
amie, pense à moi. Au point où j'en suis, ce ne sont
pas quelques pustules qui me font peur.

En plus, après la journée du tabac, la journée du

cancer et la journée du sida, vive la journée des femmes. Femme, la vieille maladie chronique et pas orpheline du tout. Sans blague, je préférerais être un oursin. Je me demande quelle sexualité on pratique, chez les oursins. Un truc un peu sommaire à mon avis. Couvert de piques, on ne risque pas de faire le malin. La planque. Et pas de journée des oursins au programme.

10 mars

Sophie est revenue de son séjour chez mes grands-parents. Visiblement, ma chambre lui réussit. Elle déborde d'énergie. Pour occuper ses derniers jours de vacances, elle tient absolument à participer au festival familial gastronomique à petit prix. Elle n'a pas eu beaucoup de mal à convaincre ma mère, qui estime (à tort) qu'après sa cadette et son mari elle ne risque plus rien.

— Les autres ont eu leur tour, a plaidé la présomptueuse Sophie. Je veux le mien.

— Ouh là, a fait ma mère. Prends-le, ton tour ! Je ne mettrai pas les pieds dans la cuisine, et je te jure que ça ne me fera pas de peine.

Si Sophie se sert de mon bouquin, elle est fichue d'avance.

12 mars

Areski avait un petit air fourbe en arrivant. Pendant la répète, il avait la basse toute joyeuse, une petite impro par-ci, un petit solo par-là, plus personne n'arrivait à suivre. On a eu le fin de mot de l'affaire au moment du départ :

— Ah oui... J'ai oublié de vous dire... On joue le 16. À dix heures. Salle Jean-Rostand. C'est un concours organisé par des copains. Dix groupes et celui qui est retenu enregistre une maquette.

— Le 16 quoi ? a demandé Nacer.

— Le 16 avril. Dans un mois.

— Dans un mois ! a murmuré Julien. Tu es taré ou quoi ?

— Mais pourquoi ? Un petit concours. Une petite chanson. Et une deuxième parce qu'on sera sélectionnés pour la seconde partie. À nous la maquette !

— OK, a dit David, qui de toute façon méprise les débats vu qu'il a eu un prix de conservatoire en piano et qu'il juge qu'il est au-dessus de tout.

Tom et moi, on n'a rien dit. On s'est regardés. Une chanson, oui, mais laquelle ? Voilà ce que nous pensions tous les deux en silence, sauf que moi je pensais en plus que j'étais amoureuse de mon rival. Shakespeare, si vous voyez le genre.

13 mars

Si Sophie n'est pas présidente de la République, elle pourra toujours ouvrir un resto. J'avais sous-estimé ma sœur. Elle n'est pas assez stupide pour se servir d'un livre de cuisine choisi par mes soins sur une base financière. Elle est allée se renseigner sur le site de Chef Simon, celui qui montre toute la préparation en images. Quand nous nous sommes assis à table, elle a demandé modestement :

— Une bonne soupe et un dessert ?

— Si la soupe est bonne, a soupiré mon père.

Et ma mère d'opiner du bonnet. Elle n'avait pas pu s'empêcher d'aller espionner dans la cuisine sous divers misérables prétextes. L'indiscrétion, c'est sa passion.

Moi, je n'ai rien dit. Il était clair que ça sentait bon dans l'appartement, ce qui n'était le cas ni pour le navarin ananas-navets, ni pour la tarte au boudin de sinistre mémoire. Moi aussi, je suis capable d'être juste, au moins pour ce qui concerne la table. En dépit de tout ce que je pense de Sophie par ailleurs, je dois dire que c'était assez délicieux. La soupe était pleine de légumes moelleux et de petits morceaux de viande fondants. Mon père gloussait d'aise en moulinant de la cuillère. En dessert, Chef Sophie nous a amené des feuilletés aux pommes dorés qui s'effondraient d'eux-mêmes dans la bouche. Nous avons dîné en silence, dans un état de reconnaissance éperdue.

— Et tout ça pour presque rien, a souligné ma mère en reposant sa fourchette. Des légumes et des fruits, et un euro cinquante de poitrine fumée.

— Ne dis pas «poitrine fumée», ai-je fait remarquer. Ça me met mal à l'aise.

— Je dis ce que je veux.

— D'accord, sauf «poitrine fumée».

— Elle est dingue, a soupiré ma mère.

Je l'ai laissée dire. Dingue ne me gêne pas spécialement.

Une chose est claire. Il y en a au moins une qui sait cuisiner dans cette famille, et Sophie vient de gagner une cuisine équipée rien qu'à elle.

15 mars

Il était à peine dix heures quand le téléphone a sonné. D'abord j'ai cru que c'était dans mon rêve, mais le téléphone ne s'accordait pas du tout au décor (je rêvais que je vivais dans une maison construite entièrement en Carambar et qu'il y avait des souris partout). Très longtemps plus tard, une souris m'a dit qu'il fallait que je sorte de la maison pour aller décrocher et je me suis réveillée. J'ai titubé jusqu'au téléphone. Je nageais encore complètement dans mon rêve. J'étais super contente d'avoir rencontrée une souris qui parle, c'est dire. Au téléphone, j'ai entendu la voix de Tom et c'était juste comme si je venais de changer de rêve.

— Salut, a dit la voix de Tom.

— Salut.

— Je voulais te dire un truc.

— Encore? Si c'est que je ne suis pas ton genre, c'est déjà fait.

— Non, laisse tomber ce truc-là. C'est à propos d'un autre truc…

— Quel truc?

— Pour le concert. Il va falloir décider d'une chanson et peut-être même de deux. Comme t'en écris et moi aussi, je voulais te proposer qu'on les écrive ensemble.

— Tous les deux?

— Oui, ensemble tous les deux. Pas ensemble tous les vingt mille. Qu'est-ce que tu en penses?

— Rien. J'en pense rien. Je me réveille alors j'ai du mal à penser quelque chose, si tu permets.

— Excuse. Je ne savais pas. Il est dix heures.

— Oui, et alors?

— Rien. On en parle tout à l'heure?

— À la répète?

— Oui, tout à l'heure à la répète. Pas tout à l'heure au cocktail du Sénat.

Cocktail du Sénat? Il est cinglé ou quoi?

J'aurais mieux fait d'enfiler un pantalon, de lui dire de passer tout de suite chez moi, et de régler la question en direct. J'aurais mieux fait de lui dire tout de suite non, pas question, t'as perdu la boule, avec toi jamais, va plutôt en enfer. Parce que, à la répète, ça a tourné à l'embrouille générale. Au lieu de négocier discrètement avec moi, Tom a fait un avis public et tous les nains s'en sont mêlés. Ils étaient fous d'enthousiasme à l'idée qu'on écrive ensemble tous les deux, sauf Areski le Chef qui ne disait rien et qui me regardait par en dessous. Il a fini par se tourner vers moi et par me demander:

— Et toi, Aurore, qu'est-ce que tu en penses?

— C'est gentil de me donner la parole parce que franchement j'ai l'impression que je n'existe pas, tout le monde parle et je n'ai pas pu placer mon mot, si tu vois ce que je veux dire, tout le monde a le droit de participer au débat sauf une personne qui justement se trouve quand même assez concernée…

— D'accord, d'accord, on a compris... Ton avis, c'est quoi?

— C'est oui.

Je ne sais pas ce qui m'a pris. Mes hormones ont pris possession de mes cordes vocales, je ne vois que ça. J'ai dit oui sous l'influence d'un court-circuit chimique, et j'ai su aussitôt qu'il serait désormais impossible de dire non. Les nains déliraient de satisfaction. Tom avait la tête du type pas mécontent qu'on se rende à l'évidence. Areski a fait une grimace.

— Je veux bien. Mais le concert est dans un mois et on n'a pas le temps d'attendre des chansons qui n'arrivent pas. Si les textes ne sont pas prêts dans une semaine, on prendra les anciens.

Une semaine. Juste quand les vacances se terminent. Je ne vois pas comment on va faire. À moins d'y passer le week-end. En tête à tête. Quand j'y pense, toutes mes hormones s'agglutinent et s'effondrent dans mes chaussettes. J'ai envie de m'enfoncer dans un trou et de disparaître à jamais. Ça commence bien.

16 mars

— Devine quel jour on est?

— Samedi. T'avais bien dit samedi, non?

— Samedi combien?

— 15 mars?

— 16!

— Si tu veux, 16. Et alors?

— Alors c'est mon anniversaire.

Grimace consternée du batteur futur coauteur des chansons à venir.

— Ah. Je ne savais pas.

— Eh bien, maintenant, tu sais.

Réaction nulle. Même pas un petit «Bon anniversaire, ma chère». Même pas un petit baiser timide. À quoi ça sert que je sois née, on se demande.

Fin de la parenthèse torride, retour au travail. L'idée est de proposer chacun un début, de choisir le meilleur, et ensuite de partager l'écriture des couplets. C'est ce qu'on a trouvé de plus juste. En ce samedi banal, qui se trouve être par hasard le jour anniversaire de ma venue au monde, c'est la première battle. J'avais préparé mon début. Il est venu avec le sien.

J'avais préféré donner le rendez-vous chez moi. Rien que pour voir la tête de ma sœur et de ma mère quand il entrerait dans l'appartement. On a bien droit à un peu de considération le jour de son anniversaire. Manque de pot, elles avaient fichu le camp toutes les deux et il a fallu que j'aille ouvrir la porte moi-même dans le plus total anonymat.

Pas question de le faire entrer dans ma chambre. On ne sait jamais à quoi les gens peuvent penser à proximité immédiate d'un lit et du portrait du dalaï-lama. On s'est installés dans les fauteuils en face de la télé. Chacun son fauteuil et Dieu pour tous.

J'ai lancé l'offensive, sur un air de java :

« *T'avais l'air d'une vraie petite sucrette*

Quand j'y pense

Un nounours un doudou

Une peluche une pâquerette.

Mais tu vois c'est vexant

J'me trompe tout le temps sur les gens.

J'm'égare j'me plante j'me goure

J'suis la fille super nulle en amour.

T'es un vrai salopard

Vrai de vrai

Quand j'y pense

Un varan un lézard

Un crétin un connard. »

— C'est marrant, tu peux pas t'empêcher d'écrire des chansons d'amour, a remarqué Tom l'extralucide. À mon tour.

« *Dans mes rêves, j'suis Superman*

148

Vous voyez, ce type dont tout le monde est fan
Avec ses beaux habits, sa cape et son collant,
Sa coupe sur les oreilles, son sourire ultra blanc.
Les hommes m'admirent, ils ont raison
J'protège leurs femmes, leurs gosses et leurs maisons.
App'lez-moi Superman, app'lez-moi Superman
Et j'arrive, en volant, c'est ma came. »

— Came ?

— J'ai pas trouvé de meilleure rime. Tu le trouves comment, mon début ?

— Sexiste. « Leurs femmes, leurs gosses et leurs maisons », tu crains.

— C'est pour rire. C'est au second degré.

Allons bon. Encore un type qui se complique la vie. Comme s'il n'avait pas assez de mal avec un seul degré.

— Dis-le franchement. Tu détestes ma chanson…

— J'ai pas dit ça. Je pense juste que je vais avoir du mal à chanter « J'suis Superman ».

— C'est moi qui le chanterai. Toi, tu chanteras ta suite. T'as qu'à mettre « J'suis Supergirl ».

— Formidable. Pour la rime, je suis morte. Et j'avais pas pensé qu'on chanterait tous les deux…

— C'est une idée que j'ai eue. Ça marche aussi pour ta chanson. Tu dis : « J'suis la fille super nulle en amour.» Je réponds : «Moi, j'suis l'gars qui s'en sort toujours.» Ça peut être bien.

— Si tu le dis. Tu sais chanter ?

— Je peux essayer.

— Elle est comment, ta voix ?

— Pas mal. Sincèrement.

Dans un sens, il était en train de me voler ma place. Dans un autre sens, ce serait sûrement plus chouette de se couvrir de ridicule à deux que toute seule. Dans un troisième sens, j'avais pas les nerfs de me battre contre un concurrent déterminé. Dans un quatrième sens, pour une fille moche, chanter en duo avec un type, même batteur, c'est toujours valorisant. J'ai dit :

— Alors, d'accord. Si tu penses que tu peux chanter derrière ta batterie…

— Pas de problème. Faudra juste éviter de me planquer en fond de scène.

Après, on a réfléchi au rythme des chansons, j'ai sorti un CD d'Édith Piaf que ma mère a sauvé de son enfance. J'aime bien ce genre de vieille mélodie cuite en chaudron à l'ancienne. Facile à reprendre. Il suffit de pas grand-chose pour faire du neuf avec du vieux. Tom était assez séduit et moi pas mécontente. Tant qu'on travaille, on ne pense pas à être obsédé par des imaginations libidineuses inutiles. On travaille et c'est tout. Bref, tout se passait bien quand on a sonné à la porte.

— Pas possible d'être tranquille cinq minutes, c'est dingue, ça me tue, voilà ce que j'ai dit en me levant de mon fauteuil.

— T'as pas fini de râler… a commenté Tom dans mon dos.

Cause toujours, j'ai pensé, et j'ai ouvert la porte. Catastrophe. Deux petits vieux se cachaient derrière, porteurs l'une d'un immense carton plat à gâteaux, l'autre d'une canne en rapport avec son arthrose.

— Joyeux anniversaire, chérie, a lancé ma grand-mère rayonnante en me tendant les bras, mais par chance mon grand-père a abrégé les effusions.

Il l'a poussée de sa canne pour entrer et j'ai refermé la porte derrière eux. Je me préparais à leur expliquer gentiment que ce n'était pas du tout le moment, que j'avais justement du travail en cours quand la sonnerie a remis ça, et là, surprise, c'était Lola en habit de foire, flanquée de son père anarchiste.

— Alors! a crié Lola, visiblement surexcitée. T'es contente que ce soit ton anniversaire?

J'allais lui dire qu'ils feraient mieux de repasser dans la soirée, elle et son père anarchiste truffier, quand, nouveau coup de sonnette, et hop, Lola a ouvert à Célianthe.

— Je ne me suis pas trompée d'heure? a demandé Célianthe.

— L'heure? Quelle heure? j'ai répondu nerveusement mais Lola faisait les gros yeux à Célianthe.

Là-dessus, Maman a ouvert la porte avec sa propre clé personnelle. Elle était accompagnée de Papa, qui portait une caisse de bouteilles, et de Sophie, qui ne portait rien. Ils ont fait exactement comme s'ils étaient chez eux, Papa a emporté les bouteilles à la cuisine et Maman a foncé dans la salle de séjour.

— Qu'est-ce qui se passe? Qu'est-ce qui se passe? Qu'est-ce qui se passe?

Tout ça ressemblait furieusement à une fête surprise organisée dans mon dos. L'après-midi était ruinée et j'étais bonne pour flanquer dehors mon batteur obsédant et futur coauteur de mes chansons. Merci les gars. Joyeux anniversaire tout le monde.

Maman disposait frénétiquement des verres et des assiettes sur la table. Mamie éventrait sa boîte à gâteaux géante. Papi et le père de Lola s'étaient installés dans les fauteuils, en face de Tom qui les regardait en souriant stupidement. J'ai pensé qu'il ne manquait plus que ma sœur Jessica, son mari et ma filleule, pour que la poisse soit complète. La télépathie étant le nouveau mode de communication intrafamilial, on a sonné et bien sûr c'était Jessica. Célianthe s'est jetée sur Rosette comme une dingue, exactement le genre de perdue qui vole les gosses dans les maternités. Pendant ce temps-là, Vladouch rejoignait mon père dans la cuisine, tandis que Lola se jetait, elle, sur mon batteur.

— Fais gaffe, c'est mon batteur, ai-je soufflé à Lola en guise d'avertissement. Fais gaffe, c'est ma filleule, ai-je glissé à Célianthe mais autant parler à une folle.

Elle portait le bébé sur les bras. Elle m'a regardée avec un sourire égaré et elle m'a dit :

— Je me suis permis d'inviter Thomas. J'ai pensé que ça te ferait plaisir.

— Thomas ?

— Ben oui. Thomas Jabourdeau. J'espère qu'il n'a pas perdu l'adresse.

— J'espère.

Thomas Jabourdeau. À mon anniversaire. C'était tellement ridicule que je me suis mise à rire et à ce moment-là la sonnette a retenti et j'ai couru ouvrir la porte à Jabourdeau. Erreur. En fait de Jabourdeau, c'était Samira. Franchement, là, surprise, parce que je la croyais fâchée depuis l'horrible Nouvel An.

— Oh, j'ai soupiré. C'est drôlement gentil d'être venue. Et je suis drôlement contente de te voir.

— Tant mieux, a fait Samira, qui n'était peut-être plus fâchée mais toujours désagréable. Je fais juste une apparition. Je ne peux pas rester très longtemps. Les autres sont arrivés?

— Oui. Il y a Célianthe et Lola, et aussi Thomas Jabourdeau, mais tu ne le connais pas…

Je parlais dans le vide, elle était déjà partie vers la salle à manger. De toute façon, ça a sonné et j'ai compris en ouvrant que ses autres n'étaient pas mes autres. Ses autres étaient Areski, David, Nacer et Julien. Soit Blanche-Neige au grand complet, en comptant Tom qui devait être en train d'adopter mon grand-père, à moins qu'il n'ait jeté son dévolu sur ma voisine Lola, le jour de mon anniversaire en plus, horreur malheur.

— Alors? m'a demandé Areski en ôtant sa veste.

— Alors quoi?

— Ça marche?

— À fond. Je crois que je vais faire une épilepsie avant la fin de l'après-midi. Préviens l'hôpital, merci.

— Non. Je veux dire: les chansons, avec Tom, ça marche?

— Ah oui. Les chansons. Ça marche. Ça va marcher. Ça peut marcher. Ça devrait marcher. Et puis j'en sais rien, moi… Demande à Tom!

Il n'a fait ni une ni deux. Il est parti arracher Tom aux bras tentaculaires de Lola pour lui parler boulot. Quand je pense qu'il avait l'air si tranquille, avant. Le bon pote qui ne pense qu'à rigoler. Tragique méprise. Ce type est un squale. Des bruits d'assiettes et de bouteilles que l'on ouvre me venaient de la salle à manger, flottant sur un vacarme de conversations. J'étais scotchée à la porte de l'appartement. Je n'avais qu'une idée en tête, ouvrir cette porte, me tirer et filer au cinéma. Tous ces gens avaient l'air de s'amuser follement. Ils ne verraient même pas que j'avais fichu le camp. J'en étais là de mes réflexions quand on a sonné. «Jabourdeau, mon ami», ai-je pensé et j'ai ouvert. C'était bien Jabourdeau, mais il n'était pas tout seul. Ancelin le dominait de toute sa hauteur.

— Nous nous sommes rencontrés en bas de l'immeuble, a expliqué Ancelin en désignant Jabourdeau en état complet de panique. Ni lui ni moi n'étions tout à fait sûrs de l'adresse.

Jabourdeau a sorti de sa poche un lambeau de papier tout froissé qu'il m'a agité sous le nez. Il ouvrait et il fermait la bouche comme un poisson hors de l'eau. Il était tétanisé par la peur, pauvre bestiole. L'effet Ancelin, sûrement.

— Enfin, a-t-elle ajouté avec son plus beau sourire, l'important c'est d'être arrivés à bon port. N'est-ce pas, Thomas?

Il a hoché la tête. Son visage est devenu très pâle et une petite suée est apparue sur son front. Cruelle Ancelin, trop cruelle. J'ai eu pitié. J'ai attrapé Jabourdeau par la manche, j'ai pris son blouson et j'ai accompagné mes nouveaux amis dans la salle de séjour. J'espérais que nous nous fondrions discrètement dans la joyeuse assemblée. Mais quand je suis entrée, Tom s'est tourné vers moi. Il a levé son verre et il a crié:

— Pour l'anniversaire d'Aurore! Hip hip hip...

— Hourra! a répondu la foule d'une seule voix, tous les verres se sont levés, j'ai senti un petit décrochage au milieu de mes côtes, et là, franchement, mon cœur s'est arrêté.

17 *mars*

Ma mère buvait son thé à coups de gorgées minuscules en regardant tendrement le plafond. Je ne raffole pas de ses petits bruits de succion répugnants au petit déjeuner. Je n'adore pas non plus son vieux peignoir bleu ciel débraillé. Ni cette coiffure qu'elle a le matin, ou plutôt cette décoiffure. Un simple coup de peigne au saut du lit peut faire beaucoup pour une femme dans son état, sincèrement, je me demande ce qu'en pense mon père. J'ai demandé du café.

— Tu le prends dans la cuisine, a-t-elle répondu, puis elle s'est reprise et elle a ajouté : Mais je ne t'ai pas vue boire d'alcool, hier, ou bien ?

— Eh oui, ai-je dit avec gaieté. Je peux avoir envie d'un café sans m'être bourré la gueule la veille au soir !

Elle a haussé les sourcils.

— T'as vu comment tu parles ?

— Comme une fille qui fait partie d'un groupe. Et je ne peux pas voir comment je parle, à la rigueur je peux l'entendre.

— Arrête d'être désagréable. C'est tellement mieux quand tu veux bien te montrer charmante. Regarde hier…

— Ah oui, mais ce n'est pas tous les jours mon anniversaire. Et j'aurais un peu de mal à regarder hier. M'en souvenir, à la limite…

— Elle me désespère, a dit ma mère au plafond, mais le plafond ne lui a pas répondu.

Oui, oui, tendre mère, quand je me souviens d'hier, je peux voir qu'hier était formidable. Mais qu'est-ce qu'on peut dire quand tout est formidable ? Rien. Après gâteaux, champagne et limonades, causeries diverses dans un agréable désordre, après cadeaux merveilleux en avalanche (sauf Samira qui m'a offert un livre par pur esprit de vengeance), à l'invitation générale et sous les ordres d'Areski, nous avons interprété quelques morceaux avec les guitares qu'avaient opportunément apportées les garçons. J'ai chanté *La Fille sans talent* et *Oublie-moi*, et Tom a ressorti son vieux tube *Toute ma vie avec toi*. Le public était très content, Mamie avait les larmes aux yeux d'émotion et Ancelin est venue me féliciter directement. Il n'y a eu que Rosette pour se mettre à hurler quand j'ai commencé à monter le son, mais Jessica l'a emmenée dans ma chambre et on n'en a plus entendu parler. Les invités sont partis à la nuit tombée, mes grands-parents sont restés dîner ainsi que Lola et son père. C'est Sophie qui a fait à manger. Des nouilles tellement bonnes qu'elle a dû remettre de l'eau à chauffer pour une seconde tournée. Et tout ça pour pas un rond, a remarqué mon père. En gros, des nouilles et une boîte de jus de tomates, qui dit mieux ?

— Contente ? a fait mon père quand je suis enfin allée me coucher.

– Trop.

– Pourquoi trop?

– Parce que du coup je suis obligée de vous détester.

– Obligée?

– Si je me mettais à vous aimer, ma vie serait invivable. D'abord, j'ai pas l'habitude. Après, ça ferait trop d'un seul coup.

– T'es cinglée, a fait mon père.

– C'est vrai, j'ai dit.

– Mais tu chantes bien.

– C'est vrai aussi.

Il y a des soirs où mon père a toujours raison.

18 mars

Renseignements pris, l'idée de la fête surprise vient de Sophie. Elle a même fait la liste des invités. La gentillesse, à ce point-là, franchement, ça met mal à l'aise. C'est une maladie ou quoi? Comment je pourrais être seulement polie avec une fille qui vise le Prix Nobel de la Perfection de Tout et qui en plus est ma sœur? Et est-ce qu'il faut que je lui dise merci?

20 mars

J'ai dit merci à Sophie.

— Merci, Sophie.

— De rien.

— Quand même. Je voulais te le dire. Merci.

— Je l'ai fait pour faire plaisir aux parents. Ils sont contents quand ils pensent que tout va bien. Ça n'a rien à voir avec toi.

— Ouf. Tu me rassures.

— Je sais.

— Merci.

— C'est bon, tu l'as déjà dit.

— T'es trop cool. Merci.

— Arrête avec ça. Tu me mets mal à l'aise.

— Merci.

— AAAHHHH! Fiche le camp de ma chambre, punaise, ou j'appelle Maman!

Il y a des jours où j'admire ma sœur.

22 mars

Jabourdeau m'a offert le DVD collector de *Scream*. Il veut qu'on le regarde ensemble. Il me drague ou quoi?

Célianthe m'a offert un CD de Nina Simone avec les amitiés de sa mère.

— Tu vas voir, c'est à se flinguer.

Je me demande comment je dois le prendre.

Ancelin m'a offert un livre sur les sciences, les maths et tout le bazar.

— Tu vas adorer. En plus, c'est rigolo.

Rigolo? Je me demande comment je dois le prendre.

Mamie m'a offert une écharpe noire avec des têtes de mort. Je me demande comment je dois le prendre.

Lola m'a offert un film sur la vie de Jésus. Elle veut qu'on le regarde ensemble. Je me demande comment son père va le prendre.

Sophie m'a offert des boucles d'oreilles. Je sais comment je dois le prendre.

Mes parents m'ont offert un nouveau sac à dos noir pour aller à l'école. Je connais la marque, je sais le prix que ça coûte.

Jessica et Vladouch m'ont offert une photo enca-drée de Rosette. Je l'accrocherai au mur à côté du dalaï-lama. Sourire contre sourire, un bien beau match en perspective.

Quant à Blanche-Neige, ils ont fait une petite cagnotte et ils m'ont offert… UNE ROBE. Ce truc qui ressemble à une camisole, qui n'a pas de jambes et qui s'arrête au-dessus des genoux. Elle est ROUGE. Ils me prennent pour quoi, tous ces nains? Paris Hilton?

— Content qu'elle te plaise, a aimablement commenté Areski. Tu la mettras pour le concert. Je ne te vois pas chanter dans tes vieilles fringues.

Tout le monde a voulu que je l'essaie mais pas question. Dans vos rêves, les gars. Pour me voir, il faudra attendre le 16 avril. Au soir. Dans le meilleur des cas.

23 mars
J'ai rêvé que Tom m'embrassait au milieu d'une fête d'anniversaire. Au début, j'étais contente. Mais ensuite, je m'apercevais qu'il avait une minuscule langue de souris qu'il faisait tourner dans ma bouche comme un petit moulin. Ensuite, tous les invités étaient des souris qui ricanaient en dansant autour de mon gâteau et Tom menait la ronde. Je me demande ce que ça veut dire, toutes ces souris, à mon avis, c'est hormonal.

24 mars
Qu'est-ce qu'elles ont, mes vieilles fringues? Elles sont moches ou quoi?

AVRIL

Stress en tout genre

1ᵉʳ avril

J'ai demandé à Lola :

— Tu me trouves comment ?

— Quoi, comment ?

— Comment comment, quoi. Mon allure, mon style…

— Géniale. Classe. Super classe.

— Poisson d'avril ?

— Bien vu ! Poisson d'avril !

— Non, mais franchement, comment tu me trouves ?

— Franchement, c'est difficile à dire parce que la vérité avec toi, c'est que tu n'as pas de style.

— C'est ça. Dis que je suis un cageot.

— Ah non, erreur. Ça n'a pas de rapport avec le physique. Le physique est plutôt bien. Ce serait plus dans ta manière de t'habiller. Elle est sans style.

— Et toi, tu trouves que tu en as, du style ?

— Oui.

— Le style foire ?

— Si ça te fait plaisir. Plutôt foire que rien du tout.

— Quand on veut se faire remarquer, je suppose.

— Exact. Si tu ne veux pas te faire remarquer, continue comme tu fais. Le bon vieux jean qui poche et le sweat bleu informe, surtout ne change rien.

— J'ai aussi un T-shirt gris et une chemise marron.

— Gris et marron, ça fait envie.

— Arrête de te moquer, c'est pas gentil.

— Tu veux qu'on soit gentil maintenant ?

— De temps en temps, ça me reposerait.

— Bon, alors j'aime bien la robe rouge que les garçons t'ont achetée.

— Tu me prends pour Paris Hilton ?

— J'osais pas te le dire. Elle te ressemble, c'est dingue.

Quelle andouille ! Je la mets si je veux, cette robe. Ils sont comment, ses cheveux, à Paris Hilton ?

Aux dernières nouvelles, Jabourdeau veut que j'invite Célianthe pour regarder *Scream* avec nous. Il la drague ou quoi ?

2 avril

Contrôle surprise en histoire. La Renaissance, si quelqu'un voit ce que je veux dire, tous ces vieux types barbus avec de drôles de chapeaux. Qu'est-ce que j'en sais, moi, de la Renaissance? J'ai jeté un coup d'œil au questionnaire surprise : définitions de mots inconnus de tous, et cartes muettes à remplir d'on ne sait trop quoi. Pourquoi se couvrir de ridicule ? J'ai rendu copie blanche.

— C'est une provocation? a fait la prof.

— C'est une protestation. Je proteste contre les contrôles surprise. Qu'est-ce que ça vous coûte de nous prévenir? Au moins, on aurait une chance...

— Je vous rappelle que vous êtes tenus de venir en cours en sachant la dernière leçon.

— Mais madame... Personne n'apprend ses leçons ! Vous le savez très bien, ça fait des années que vous faites prof. Alors les contrôles surprise, c'est juste pour donner de bonnes notes à ceux qui sont déjà bons, et des mauvaises à ceux qui sont déjà mauvais. Et le résultat, c'est une opération nulle parce que les bons restent bons et les mauvais mauvais. Dans ces conditions, on se demande à quoi ça sert de venir en cours. Pour les mauvais en tout cas, ça ne sert à rien, c'est clair. Et je voulais vous dire que l'histoire et la géographie sont les deux matières que je déteste le plus au monde, les matières les plus nulles qu'on puisse imaginer et qui en plus ne servent à rien, et j'aime autant vous dire que je ne suis pas la seule à le penser...

J'étais saisie de parlote intarissable. Comme si toutes les heures passées à s'ennuyer à périr pendant son cours revenaient d'un seul coup toutes ensemble pour se plaindre par ma bouche... Et l'autre en face qui m'écoutait sans rien dire, sauf qu'elle était plus rouge de seconde en seconde. Je m'en fichais parce que, vu que j'avais déjà le zéro qui compte pour la moyenne, je me disais que je ne risquais plus rien. Mauvais calcul. Elle a explosé d'un coup. Elle a hurlé :

— Ça suffit maintenant !

Exclue du cours pour quinze jours. Je ne sais pas à quoi pense cette bonne femme mais une chose est sûre : ça ne va pas remonter ma moyenne.

3 avril

Ma sœur a des ambitions. Le baptême n'a pas suffi. Elle vise le mariage. C'est Lola qui va être contente. Défilé de costumes de foire en perspective. Mes vieux parents ont reçu l'annonce officielle par téléphone.

— Françoise, devine, a dit mon père d'une voix lamentable.

— Je sais, Dominique, a répondu ma mère. Après le baptême, il fallait s'y attendre.

— Il y aura des demoiselles d'honneur? a demandé Sophie en frétillant.

— Probablement, a fait ma mère.

— Qu'ils ne comptent pas sur moi, ai-je remarqué. Je ne suis pas un guignol.

Là, mon père m'a regardée avec des yeux écarquillés par l'émotion. Ma parole, on aurait dit qu'il ne m'avait jamais vue avant. J'ai cru qu'il allait me prendre dans ses bras. J'ai dû filer dans ma chambre pour me planquer. Je veux bien protester, mais de là à me peloter avec mon père, il y a une marge. Qu'il ne compte pas sur moi pour faire l'anarchiste, ce n'est pas ma génération.

Ils n'ont qu'à demander à Sophie d'organiser la fête. Après l'anniversaire, le mariage. Pour elle, c'est une promotion.

4 avril

L'intérêt d'être exclue, c'est que, au lieu de perdre du temps en histoire-géo, je m'occupe en permanence. J'ai écrit le deuxième couplet de la chanson de Tom.

« Dans ses rêves, c'est lui Superman
J'en sais quelque chose j'suis sa femme
C'est moi qui r'passe sa cape et son collant
Qui lave ses slips qui cleane l'appartement

J'suis moche c'est vrai mais j'ai pas le temps
De m'faire belle pour un type en déplacement.
Plaignez-la les amis, la femme de Superman,
Superwoman qui a du vague à l'âme. »

C'est parti par texto. Ma carte est explosée. Je suis ruinée.

5 avril

La réponse était glissée dans la boîte aux lettres. Écrite à la main.

Apparemment, mon coauteur tape sur une grosse caisse, pas sur un clavier.

« J'te prenais pour un ange sur la terre
Quand j'y pense
Une perle un bijou
Un trésor une affaire
Mais chérie, c'est troublant
T'as un sale caractère
J'vois pas comment je vais faire
Pour t'aimer
Vrai de vrai
Quand j'y pense
C'est trop dur d'assurer
T'es bien trop mal lunée. »

Je me demande comment je dois le prendre.

6 avril

Comme prévu, Sophie est chargée d'organiser la fête. Elle déborde d'enthousiasme, c'est tragique. Elle s'est littéralement jetée sur la préparation du buffet. Je plains la messagerie de Chef Simon. Mais si elle pense qu'il va lui répondre, elle rêve. Elle croit peut-être qu'il existe vraiment. Crédule Sophie.

9 avril

Répétition. Les nains sont contents. Les chanteurs aussi.

Tom s'est fendu d'un refrain pour *Superman*.

« C'est pas facile d'être Superman

Toujours au top

Même pour sa femme.

Un bon mari un bon héros

Pour un seul homme

C'est deux fois trop

Deux fois trop OOOHHH… »

Moi, j'ai trouvé le troisième et dernier couplet. On chante une phrase chacun, au moins les choses sont bien partagées jusqu'au bout.

«— Chérie, j'ai encore à partir en mission.

— Pense au pain en rev'nant de Krytpon.

— Qui c'est qui va garder les gosses si je pars ?

— *J'en ai marre de faire baby-sitter le soir.*

— *Superman, c'est un job, c'est pas pour rigoler.*

— *C'est ton job, t'as choisi, j'en ai rien à talquer.*

— *Au secours, je crois que je vais divorcer.*

— *C'est trop tard, mon chéri, fallait pas m'épouser.* »

Mine de rien, mon batteur à la langue de souris m'appelle «Chérie» dans le micro. Bien joué, non?

10 avril

Célianthe ne veut pas regarder *Scream* avec Jabourdeau. D'abord, elle a horreur des films d'horreur. Ça ne la fait pas rire. Ensuite, elle a l'impression que Jabourdeau la drague. Ça ne la fait pas rire non plus. Résultat, sous prétexte de cadeau d'anniversaire, je suis bonne pour me taper *Scream* en tête à tête avec qui vous savez. Il n'y a pas de quoi rire.

11 avril

Je suis stressée à mort. Sébastien Couette nous quitte. La prof de français d'origine a fini par accoucher. Et, au lieu de rester tranquillement chez elle à s'occuper de son gosse, elle revient. Du coup, Couette dégage. Il nous l'a annoncé en rendant les fiches de lecture de *Cyrano*.

— Je suis content de vous, a-t-il dit en distribuant

les copies. Personne n'a tiré au flanc. C'est un joli cadeau d'adieu.

Tout le monde a la moyenne. Et moi j'ai quinze. J'avais tartiné deux copies doubles. Rien qu'au poids, je méritais la note. Couette était affreusement ému et la classe entière avait les larmes aux yeux. C'était un peu comme un horrible divorce. Pour une fois qu'on tire un numéro gagnant, il faut qu'on nous l'enlève.

À la fin du cours, j'ai foncé à son bureau.

— Je regrette à mort, j'ai dit. Vous êtes comme une histoire d'amour qui finit mal.

— C'est très gentil, Aurore. Mais vous prenez les choses trop à cœur. L'important est que vous ayez progressé. Vous devriez poursuivre vos efforts en français.

— Ce que vous ne comprenez pas, monsieur, c'est que je n'en ai rien à faire du français. Ce qui me plaît, c'est vous. Vous ne voulez pas faire prof d'histoire-géo, pour voir ?

Couette a levé les yeux au plafond. Il était trop mignon avec sa vieille grimace et j'ai eu envie de l'embrasser. Un prof, habillé comme un prof, qui mesure un mètre quarante, qui a une tête ronde, et des lunettes. Du pur concentré de philtre. Heureusement que je connaissais l'histoire, je suis restée à distance. C'est fou ce qu'on peut apprendre en cours de français, de vraiment utile je veux dire : il ne faut jamais se jeter sur un type qui vous a tapé dans l'œil, spécialement si c'est un vieux, ne jamais boire aucun philtre d'aucune sorte, spécialement si c'est sur un bateau, et se méfier des hormones effervescentes qui vous pourrissent la vie. Il faut aussi éviter d'être trop moche, même si les beaux ont autant d'ennuis que les moches à la fin. Dommage que les gens ne lisent pas plus de livres, ils s'épargneraient bien des malheurs dans l'existence.

Adieu, Couette. Je t'inviterai à un concert, ce sera plus raisonnable. Tu pourras toujours philtrement embrasser Ancelin. À condition qu'elle se baisse, bien entendu.

12 *avril*

J'ai attendu que tous les habitants de cet appartement soient enfermés dans leurs chambres et j'ai enfilé la robe rouge. Je me suis glissée sur la pointe des pieds jusqu'à la salle de bains. Je suis montée sur le tabouret et je me suis pliée en deux pour me voir en entier dans le miroir au-dessus du lavabo. On voit tout. On voit mes jambes, on voit mes genoux, on voit mes bras, on voit mon cou et on voit ma poitrine fumée. Autant chanter à poil. Gracias, Areski. Cette robe rouge, tu n'as qu'à la porter toi-même si elle te plaît tant. Tu la mérites.

Quand je suis sortie de la salle de bains, ma mère vaquait hypocritement devant la porte. Elle s'est jetée sur moi comme un missile. Elle a rameuté mon père et ma sœur. Bref, c'était le gros pow wow nocturne dans le couloir d'où il est ressorti que cette robe était faite pour moi, que j'étais faite pour elle, que nous étions faites l'une pour l'autre et que je devrais la porter pour le mariage.

— Du rouge ? a fait l'organisatrice de la réception. Pour un mariage ? Je ne crois pas, non.

— Sophie, je t'aime, ai-je dit dans ma gratitude.

— Mais pour le concert, indéniablement, c'est oui, a-t-elle ajouté avec un mauvais sourire.

Indéniablement. Elle invente des mots, maintenant.

J'ai rêvé que je chantais toute nue. Tout le truc était de faire comme si c'était normal, tout en essayant gracieusement de planquer mes fesses derrière la batterie. J'étais nerveusement épuisée, mais à la fin on gagnait la maquette. Sûrement un présage, mais de quoi ?

13 avril
Chef Simon a répondu à ma sœur Sophie. Elle a

imprimé sa réponse. Elle nous l'a collée sous le nez. Ça commence par «Chère Sophie». On croit rêver. Le type lui donne gratuitement la liste des plats faciles et économiques pour réussir une fête. Comme si de rien n'était. Et il termine par cette formule enchanteresse : «Des bises, signé : Chef Simon».

Chef Simon existe vraiment, c'est dingue. Il écrit des mails de sa main personnelle sur son clavier personnel, c'est fou. Il s'intéresse personnellement à ma sœur, c'est absurde. Il lui envoie des bises, c'est illégal.

14 avril

— T'as pas peur ? a fait Lola.

— Pourquoi ?

— Vous jouez demain.

— J'avais oublié.

— C'est pas vrai.

— Bien vu.

— Alors, t'as peur ?

— AAAHHHHH !!!

— Bon, t'as peur.

— Oui, j'ai peur, banane, qu'est-ce que tu crois ?

Je fais tout pour ne jamais y penser et cette imbécile bousille tous mes plans. On ne sait pas ce qui peut se passer, d'ici demain. Je peux me casser la jambe. Une comète peut éclater la Terre. Un trou noir peut avaler l'Univers. Personne n'est sûr de rien et on ne peut pas penser à tout. Dans ces conditions, autant penser à rien. Voilà ma philosophie.

15 avril

Une bonne nouvelle : la Terre est toujours là. Une autre bonne nouvelle : l'Univers aussi. Troisième excellente nouvelle : ma jambe est intacte. Ça sent la combinaison gagnante à plein nez. Il va falloir que j'y aille, à ce concert. AAAAHHHHHH!!!

16 avril

C'est marrant comme les choses qui font le plus peur au monde sont aussi celles qui passent le plus vite au monde. On croyait qu'on allait mourir, et surprise c'est déjà fini, on n'est pas mort du tout.

D'abord, j'avais mis ma robe rouge dans mon sac noir. Ensuite, j'étais à l'avance au rendez-vous. Assez en tout cas pour me faire engueuler par Areski.

— Qu'est-ce que tu as fait de la robe ?

— Du calme, elle est dans mon sac. Je me change dans les toilettes et...

— Il y a une loge.

— Bon, je me change dans la loge et...

— Et les chaussures?

— Il y a pas de chaussures, personne ne m'a prévenue…

— Pas de chaussures? Pas de chaussures! Pas de
chaussures…

— Elle n'a qu'à chanter pieds nus, a dit David,
c'est beau, une chanteuse pieds nus.

— Je parie qu'elle n'a pas de collant non plus?
T'as des collants?

— Ah non, pas de collants.

— Et tes ongles de pieds?

— Quoi, mes ongles de pieds?

— Ils sont comment?

— Je ne sais pas, moi. Propres?

— J'espère bien. Ils sont rouges?

— Ah non, plutôt couleur beige. Nature, si tu veux.

— Elle ne peut pas chanter pieds nus avec des
ongles dégueulasses…

— Personne les voit, mes ongles. En plus, tu te
permets de dire qu'ils sont dégueulasses…

— Arrêtez de vous engueuler, a fait David. Je fais
un saut à la pharmacie, j'achète un petit vernis rouge,
et elle…

— Là, je t'arrête tout de suite, je sais même pas
comment on fait…

— Pas grave. Je le fais tout le temps pour ma sœur, je peux le faire pour toi. Et pour le maquillage, tu as besoin de quelque chose?

— Quoi, le maquillage? Quel maquillage?

Et ainsi de suite. En gros, j'avais rien de ce qu'il fallait avoir et j'étais la dernière des dernières. Areski était blanc de rage. J'en avais super marre.

— Forcément, pour toi, c'est facile. Tout en noir, avec ta sale tronche et tes vieilles pompes, moi aussi je peux le faire.

— Tais-toi. Ou je t'étrangle.

— Ce sera pas nécessaire parce que, après ce truc, tu peux te chercher une autre chanteuse. Une vraie. Avec robe intégrée et vernis apparent.

— Allez, allez, a fait David en m'écrasant son petit pinceau fuchsia sur l'ongle du gros orteil. On réglera ça plus tard. Chaque chose en son temps…

— Justement! a hurlé Areski. Et Tom? Il est où, Tom?

Du coup, je suis sortie du champ de ses préoccupations. Il n'y en avait plus que pour Tom, qui ne faisait jamais ce qu'il devait faire, qui était le dernier des derniers, etc. D'abord on s'intéresse à moi comme des fous et après on me laisse tomber comme une vieille chaussette, c'est vexant à la fin. Areski s'est mis à courir partout après Tom, et moi j'ai passé ma robe rouge.

— Waouh, a fait David en me regardant, exactement comme si on était dans une pub. Fantastique.

Il a soufflé une dernière fois sur mes orteils.

— Toi, j'ai dit, plus je te connais, plus je regrette d'avoir des sœurs.

— Et encore. Tu ne sais pas tout ce que tu perds. Viens ici que je te crêpe les cheveux…

— Attends, je crois que je vais d'abord aller vomir.

— Pas de problème. Prends ton temps.

Je suis sortie de la loge pour vomir un peu. Quand je suis revenue, David avait trouvé un peigne, Tom était arrivé et Areski était en train de le pourrir.

— Mais où il est exactement, le problème ? criait Tom.

— C'est toi qui me le demandes ? hurlait Areski.

— Allez, allez, les gars, disait David, ça va s'arranger…

Je suis entrée, je me suis plantée devant la glace et ils m'ont vue. Fin du pourrissement général.

— Elle est mignonne, non ? a demandé David comme s'il venait de me fabriquer avec un vieux marron et deux allumettes.

— Waouh, a fait Areski.

— Waouh, a fait Tom.

— Taisez-vous ou je retourne vomir.

Ensuite, tout s'est passé très vite. Areski nous a fait la liste de ce qu'il fallait avoir en tête pour être parfaits. Julien a sorti une bouteille de vodka de son sac. Areski nous a interdit de boire et Julien a rangé la bouteille. Nacer est sorti vomir. Tom a chantonné les textes comme s'il craignait d'en avoir oublié un bout. David a demandé à une fille si elle pouvait nous prêter son eye-liner mais j'ai dit non, arrête ton cirque, qu'est-ce que c'est d'abord l'eye liner, ça craint. David m'a répondu que je pouvais l'adopter comme frère pour un stage d'initiation, c'était quand je voulais. J'ai eu mal au ventre, des spasmes et des palpitations. Bref, on a attendu que les autres groupes fassent leur truc et au bout d'une demi-heure le type qui s'occupait du concours nous a appelés sur scène.

AAAAHHHHH!!!

Et là, miracle. En arrivant sur le plateau, je le jure, j'ai fait deux pas vers mon micro et la peur a disparu. Comme ça. Pfffff. Évanouie. En même temps, c'était une question de survie. J'étais au bord de l'arrêt cardiaque. Il fallait se calmer d'urgence. Tout ce qui m'est resté, c'est l'envie furieuse de gagner le truc, à n'importe quel prix, gagner, et largement, pour claquer le bec de cette saleté d'Areski, une bonne fois pour toutes. J'ai pris le micro, je sentais le sol froid sous mes pieds, et je suis allée me placer devant mon batteur préféré. Je sentais les regards des gens agglutinés comme des mouches à ma robe rouge, et figurez-vous que je voulais juste qu'ils restent là où ils étaient et qu'ils pensent tous : « Waouh… »

Évidemment, David l'a joué un peu trop perso. Julien et Nacer se sont emmêlé les pinceaux deux fois. Même Tom a foiré. Mais Areski tenait tout avec sa basse. Il suffisait de le suivre pour savoir exactement où on en était. En plus, il nous regardait avec des sourires délicieux, sans blague, je ne l'avais jamais vu sourire autant, on aurait dit Rosette. Le vrai coach qui te déteste à fond personnellement mais qui soutient à mort la performance. Classique. Pour la chanson, j'ai regardé Tom au fond des yeux et j'ai chanté pour lui, de tout mon cœur, tant qu'à faire autant chanter pour quelqu'un. Je voyais bien, dans ses yeux, ce qu'il pensait. Quelque chose comme « Waouh… ». Plus il me répondait, plus je chantais pour lui. Bref, je me suis emballée toute seule. La honte sur moi, mes enfants, mes petits-enfants, mes sœurs et toutes mes nièces à venir.

On a fait la première chanson. Après, cinq groupes

ont été virés, on n'était plus que cinq. On a fait la deuxième chanson. Après, on est retournés dans la loge pour attendre les résultats.

— Voilà, j'ai dit, c'est fini. Je peux remettre mon jean et me coiffer normalement?

— Non, a répondu Areski. Pas avant les résultats.

— Et en attendant, je peux aller vomir?

— Oui, mais dépêche-toi.

J'avais recommencé à avoir peur et en plus je ne pouvais plus regarder Tom normalement. Je suis partie de la loge pendant que Julien sortait sa bouteille de son sac et qu'Areski lui disait de la ranger. Nacer se rongeait les ongles et David discutait avec la fille à l'eye-liner. Le type est revenu nous chercher.

— C'est bon, a-t-il dit à Areski. C'est toi. Tu as gagné le gros lot.

— Ma parole, j'ai dit, tout le monde te prend pour le chef ou quoi?

— Je t'avais dit, c'est un copain, a répondu Areski en haussant les épaules.

— Il fallait le dire que c'était pipeauté, ton truc. On s'est rendus malades pour rien.

— Tais-toi.

— Je me tais si je veux.

— Je croyais que tu quittais le groupe, a finalement dit Areski, et je me suis contentée de hausser les épaules.

S'il croit que je vais quitter un groupe qui vient de gagner le gros lot, il me prend pour une poire.

Il a fallu remonter sur scène, toujours pieds nus telle Jeanne d'Arc au bûcher, dire merci aux types du jury, faire une révérence et tout le tralala. L'avantage, c'est qu'ils me félicitaient, moi, comme si j'étais la vraie Blanche-Neige, cheffe de tous les nains, et pas Areski, qui était un nain parmi d'autres et que nous appellerons désormais Prof ou Grincheux. L'effet robe rouge, probablement.

— C'est qui la vedette ? j'ai demandé quand j'ai enfin eu le droit de remettre mon pantalon et des chaussures.

— Si tu crois que c'est toi, on va avoir des problèmes, a répondu Areski.

— Tu l'écoutes pas, il est jaloux, a dit Tom. En tout cas, tu es ma vedette à moi.

— À moi aussi, a fait David. La prochaine fois, je te maquille.

Les deux autres ont fait oui oui, mais comme ils avaient le nez dans un gobelet de vodka, on ne les a pas franchement entendus. De toute façon, Samira et Lola ont débarqué dans la loge. Lola a surtout parlé de ma robe rouge avant de demander un peu de vodka si c'était possible (c'était possible, par malheur). Samira m'a prise à part.

— Vraiment bien. On dirait un vrai groupe. Franchement, quand on te voit sur scène et quand on pense à toi dans la vie, on ne peut pas deviner que c'est la même personne.

Et voilà, quand c'est bien, ce n'est pas moi. C'est mon double. Aurore, l'autre. Comme si j'avais pas assez de mal avec moi-même... Maintenant il faut qu'on soit deux. Misère.

18 avril
Encore les vacances. C'est toujours les vacances. On se la coule douce, dans la salle des profs. Pendant ce temps-là, il y en a qui bossent. Blanche-Neige est convoquée pour passer dans une émission minable pour les gosses sur une télé que personne ne regarde. Areski a dit oui. Ce type est prêt à n'importe quoi pour faire une carrière. David a un peu protesté parce qu'il comptait partir en vacances avec ses sœurs. Mais Areski ne l'a pas laissé râler longtemps.

— Pas grave. Si ça ne te dit rien de jouer avec nous, tu laisses tomber. On se passera de clavier.

— J'ai pas dit ça.

— Ravi de l'entendre. Donc, le rendez-vous est à 15 h 30, merci d'être à l'heure.

Je me demande si mon vernis va tenir encore une semaine. J'ai pas intérêt à faire l'andouille avec mes pieds.

20 avril

Jabourdeau a essayé de m'organiser une soirée *Scream*. J'ai dit désolée, je ne peux pas, je pars en vacances. Il m'a regardée de travers.

— Tu mens.

— Oui.

— Tu mens comme une brelle. N'importe quel crétin peut le voir.

— La preuve.

— Merci.

— De rien.

— Tu ne veux pas voir ce film ? Ou tu ne veux pas le voir avec moi ?

— Je ne veux pas le voir. J'aime pas les gens qui crient, et qui se courent après, et qui se flanquent des coups de couteau. Ça me donne mal à la tête.

— Je préfère. J'avais peur que tu ne veuilles pas me voir, moi.

— Ah non. Je te trouve sympa.

— Tu me dragues ?

— T'es malade ou quoi ?

— Tant mieux parce que je n'ai pas envie de sortir avec toi.

— Je t'ai demandé quelque chose ?

— Du calme, c'était pour te mettre à l'aise. Moi, je voudrais te demander quelque chose…

— Je ne crois pas, non.

— Quoi ? Qu'est-ce que tu ne crois pas ?

— Que Célianthe veuille sortir avec toi.

— Comment t'as deviné ?

— Tu masques assez mal. N'importe quelle brelle peut le voir.

— Tant pis. Je veux quand même essayer. Après tout, qu'est-ce que je risque ?

— La honte.

— C'est bon. J'ai l'habitude.

— Dis pas ça, tu me rends triste.

— Je te reprends *Scream*, alors ?

— Vas-y. C'est de bon cœur.

Je donne mon pronostic : Célianthe Un, Jabourdeau Zéro. Ce pauvre vieux n'a aucune chance.

22 avril
Tom a appelé aux aurores.

Sophie a décroché.

— Et alors ? j'ai demandé.

— Rappelle-le.

— C'est tout ?

— Oui.

— Rien d'autre ?

— Non. Et si tu veux plus de détails, tu n'as qu'à te lever plus tôt. Je ne suis pas ta boîte aux lettres.

Quel caractère de cochon ! Elle était drôlement plus gentille quand elle était petite. Je la revois dans sa période *Titeuf*, avec ses grosses lunettes et son pantalon qui remontait sous les aisselles. Elle était trop mignonne. C'est fou ce que les gens changent avec l'âge. Ils s'abîment.

De toute façon, je ne vais pas rappeler. Qu'est-ce qu'il me veut, Tom ? On se voit déjà assez aux répètes. J'aime bien chanter avec lui mais il me fatigue avec son air Regardez-Moi, J'ai Mis Du Gel Fixant. Je devrais le refiler à Lola. Le modèle pot de glu tape-à-l'œil, normalement, c'est pour elle.

24 avril

Pour la maquette, il faut attendre juillet. Pour le mariage, il faut attendre juin. Je passe ma vie à attendre. Tout ça pour être déçue à la fin. Des fois, je me dis qu'une bonne comète pulvérisante arrangerait mes affaires. Un trou noir à la rigueur (sauf s'il y a un univers parallèle caché au fond).

25 avril

Chef Simon a envoyé des photos de lui à Sophie.

— Il est beau, a fait Sophie.

— Oui, mais sa femme est sur la photo, à côté de lui, regarde.

— C'est sa femme ?

— En tout cas, c'est pas sa mère, c'est pas sa fille.

— C'est peut-être sa sœur ?

Je n'ai rien dit. À quoi bon ?

27 avril

Samira veut savoir si j'ai lu le livre qu'elle m'a offert à mon anniversaire. Le livre ? Quel livre ? Je ne me souviens même plus du titre. J'ai tout simplement perdu ce bouquin. Avec un peu de malchance, quelqu'un l'a flanqué dans la poubelle avec les emballages.

Au moment précis où je peux me réconcilier avec Samira, il faut qu'un livre détruise tout entre nous. La poisse cosmique. Shakespeare, tout craché. Filez-moi un balcon et je saute.

J'ai passé la journée chez mes ancêtres. J'ai revu ma chambre.

J'ai dormi dans la chaise longue au milieu du jardin. L'air sentait le lilas et le soleil me chauffait les joues. Pour goûter, Mamie m'avait préparé des fraises à la crème. Papi faisait des mots croisés assis dans le fauteuil du salon, je le voyais de loin, par la fenêtre de la véranda.

— Je n'avais pas envie de grandir, j'ai dit à Mamie. On m'a obligée.

— Je sais, m'a dit Mamie. Moi non plus, je ne voulais pas.

— Tu voulais que je reste petite?

Mamie a rigolé.

— Oh non! Pas toi, moi. Je voulais rester petite… Ne jamais quitter le parc. Les sœurs. Le chocolat du goûter. Les dimanches à la mer…

— Mais enfin! Si tu étais restée petite, je n'aurais pas pu être ta petite-fille…

Mamie a encore rigolé, et je me suis rendu compte avec horreur de ce que j'étais pour elle : une sorte de lot de consolation de l'existence.

— L'enfance, chérie, c'est chacun son tour, a dit Mamie en me passant la main dans les cheveux.

J'ai fermé les yeux et j'ai pensé que nous étions deux petites filles enfermées dans des peaux trop grandes pour nous. Deux princesses dans un maléfice.

MAI

Ma vie publique et mes émotions privées

1ᵉʳ mai

En cherchant le bouquin maudit de Samira, je suis tombée sur *Les Trois Mousquetaires*. Je les avais complètement oubliés, ceux-là. Ils prenaient gentiment la poussière derrière mon bureau dans le plus complet anonymat. J'étais hyper contente d'avoir remis la main dessus. J'ai téléphoné à la bibliothèque pour les avertir que leur truc n'était pas perdu. Je croyais qu'on partagerait ma joie. Résultat : sept euros d'amende. Pour le retard. Sept euros ! À ce prix-là, j'aurais pu l'acheter et l'offrir à Samira. Jamais j'aurais dû l'appeler, cette bibliothèque. La prochaine fois, je fais celle qui n'est au courant de rien. Les mousquetaires ? Quels mousquetaires ?

2 mai

Célianthe ne veut pas voir *Scream* mais elle veut bien voir Jabourdeau. Conclusion, sa mère les emmène tous les deux au musée. Attention, je répète, avis à toutes les bases : Au Musée.

Jabourdeau délire de bonheur, c'est effrayant. Il se demande comment il doit s'habiller. Je lui ai conseillé de ne rien changer. Des vêtements propres feront l'affaire. En attendant, il a décidé de me prendre pour confidente, comme dans une vieille pièce de théâtre. Je suis sa servante dévouée, celle qui tient le mur au fond de la scène, avec la robe noire et la moustache assortie. Je vois d'ici ce qui va se passer : il va me pleurer dans le paletot pendant des semaines et à la fin c'est moi qui me taperai de ramasser son pauvre cœur brisé avec une balayette et une petite pelle. Quelle guigne.

3 mai

— Tu devrais essayer ta robe pour les répètes, m'a dit Tom en faisant un clin d'œil grotesque.

— Je te demande de venir en string ?

J'ai eu très envie de lui mettre une claque, il m'énerve à la fin. À force de le regarder dans le fond des yeux en chantant, j'ai l'impression de connaître par cœur le fond de son estomac. Tom, j'ai percé ton jeu jusqu'aux entrailles et j'en ai spécialement marre de ton larynx.

4 mai

Je suis demoiselle d'honneur. Je n'ai pas pu refuser. Maman m'avait prévenue.

— Tu ne peux pas dire non. C'est ta sœur.

— Et alors? Je suis déjà la marraine de sa fille! C'est une malédiction à vie, c'est d'être la sœur de ma sœur? Elle m'a demandé, à moi, ce que j'en pensais, des mariages?

— Eh bien, vas-y! Qu'est-ce que tu en penses?

— Rien.

Ma mère a une façon particulièrement mesquine de lever les yeux au plafond quand elle ne me supporte plus.

— Ça n'a pas d'importance, a fait Sophie, qui ne se balade plus qu'avec son carnet de mariage dans une main et son crayon de mariage dans l'autre. S'il manque une fille, on pourra toujours demander à Lola. Elle sera très contente. Les robes sont jolies.

— C'est bon, j'ai dit. Tu as gagné. K-O au premier round.

Lola dans ma robe au mariage de ma sœur? Elle est malade ou quoi?

6 mai

Opération Télé. Un immeuble de mille étages. Cent

kilomètres de couloir. Une assistante maigre avec des bottes en serpent. Un studio installé avec une batterie. Et un taré en baggy qui saute partout en parlant sans arrêt. Dans le fond, au milieu des câbles, une dizaine de gosses maussades (dans le rôle du futur public enthousiaste).

— Super! dit le taré en agitant les bras. Excellent! Sublime sublissime! Alors, les grands, vous êtes contents? (Grimace sinistre d'Areski.) Trop génial! Les gamins vont adorer, littéralement adorer! Je suis dingue de musique, les gosses, la musique, c'est moi, c'est la télé, c'est nous, quoi! Et maintenant, vite vite hop là les gars, maquillage pour tout le monde et on tourne!

Nous passons dans une loge où une fille avec des cernes nous fait asseoir à tour de rôle dans un grand fauteuil. Tout le monde se prend une bonne tartine de fond de teint sur la figure, c'est la planète des singes. En tant que Blanche-Neige en chef, j'ai mis ma robe et je reçois un traitement spécial. La fille me pose une tonne de questions auxquelles je ne sais pas répondre (quelle couleur sur les yeux? quel brillant sur la bouche? et le fond de teint? plutôt blanc ou plutôt rose?...). Qu'est-ce qu'elle veut que je lui dise, cette folle? Je ne dis rien et David se colle dans mon dos pour répondre à ma place. Du coup, j'ai droit à l'eye-liner. Mais, comme j'adore qu'on me tripote la peau, je me laisse faire sans protester. Après, j'ai crêpage, coiffure et sèche-cheveux. Oui, j'adore aussi qu'on me tripote la tête. Je ferme les yeux en ronronnant en dedans. La fille dit «C'est fini» et il faut bien que je les rouvre. Et là, je vois mon double qui se reflète dans la glace. Aurore, l'autre.

— Salut, je dis. T'es tombée dans le pot de peinture, toi. T'as vraiment une drôle de tête.

Tom, qui est arrivé tout seul de son côté parce qu'il est en retard, me dégage de mon fauteuil pour se faire tartiner. Il me prend par le bras et il me colle un baiser sur la joue, comme si c'était notre genre naturel, de nous palper à longueur de temps. Il dit:

— Bonjour, beauté.

Je réponds:

— Bonjour, cinglé.

Ensuite nous courons jusqu'au plateau, parce que à cause de Tom nous sommes en retard, à ce que répète l'assistante Serpent sur un ton excédé. Les gosses maussades, notre public chéri, se sont collés devant la batterie de Tom et le taré les houspille pour qu'ils fassent des sourires.

— Je vois pas tes dents, croquette! Montre-moi tes jolies dents, allez, mieux que ça!

Les gosses le détestent tellement que ça fait peur. Mais ils tendent la tête vers la caméra en faisant des tonnes de faux sourires avec leurs dents.

— Et tes yeux! Ils brillent pas tes yeux, croquette! Fais briller tes yeux ou tu recommences! Tu le sais, chipette, que tu vas recommencer jusqu'à ce que je voie tes yeux briller sur l'image, tu le sais, oui? Alors vas-y! Brille!

Ces gosses sourient comme des malades, ils nous détestent, ils détestent le taré, ils détestent la télé, et en plus ils sont maquillés comme des poupées Barbie. Je me demande combien ils sont payés, avant de comprendre qu'ils sont tous le fils ou la fille du taré ou de l'assistante hyper maigre. Enfin, ils reculent et on se glisse derrière les instruments. Je prends le micro et je plante mes yeux dans ceux de Tom.

— À vous, les grands! crie le taré, qui danse tout seul sur son plateau.

Areski nous fait un signe de tête et on démarre. On joue pas mal mais on joue quatre fois la même chose, parce que personne n'a jamais l'air assez brillant, ni assez denté pour Mister Croquette. À la cinquième fois, Areski dit:

— Bon, ça suffit maintenant. Vous vous débrouillez avec ce que vous avez. Moi, je me démaquille.

Il passe la bretelle de sa basse par-dessus sa tête et il est parti.

— Eh ben dis donc, grommelle le taré, les mains sur les hanches. Il croit qu'il est déjà arrivé, le jeune homme ?

Mais plus personne ne l'écoute. On a tous quitté le plateau et on l'entend de loin qui refait des prises avec les gosses.

Il crie :

— Mieux que ça, Croquette !

— Pour la télé, je te préviens, c'est la dernière fois, dit David.

— Faut savoir ce que vous voulez, soupire Areski. En attendant, on a un film pour mettre sur le Net.

— Avec les gosses ?

— J'enlève les gosses, reste le groupe. Ce sera toujours mieux qu'un machin filmé dans ta chambre pourrie avec ta webcam pourrie.

— Je suis grillée, je dis, mes parents vont me voir !

— Pas que tes parents, j'espère, fait Areski en se frottant les mains.

Là-dessus, la maquilleuse m'arrache la peau en me frottant la figure avec un coton et je redeviens moi.

— Dommage, constate David. C'était du beau boulot.

— Je suis pas un monument historique, voilà ce que je réponds.

— Et vous n'oubliez pas de m'envoyer le DVD, dit Areski à l'assistante Serpent Maigre quand nous partons.

Fin de l'Opération Télé. Si c'est ça, le chemin qui conduit à la gloire, je préfère rentrer chez moi..

7 *mai*

Jabourdeau est allé au musée. Arrivé devant une grande femme toute nue peinte en vert, il a fondu en larmes. Il a fallu que Madame Célianthe sorte ses mouchoirs en papier. Jabourdeau pense qu'il est un ahuri sentimental. La mère de Célianthe pense qu'il est un génie esthétique. Je me suis bien gardée de demander à Célianthe ce qu'elle en pense. Moi, je pense que, tant qu'il ne parle pas, rien n'est perdu. Pleure, Jabourdeau, pleure. Mais surtout ne parle pas de ton chien.

12 *mai*

Le français est redevenu le français. Tout le monde s'ennuie mortellement, sauf Jabourdeau qui pense à Célianthe, et sauf Célianthe qui pense à autre chose. Il n'y a qu'une personne que ça intéresse, c'est la prof, qui blablate toute seule sur son estrade. Elle est présente à tous les cours. Visiblement, son gosse n'est jamais malade. Ou alors elle en a déjà marre de lui. Ou alors elle nous préfère. Elle nous adore. Encore une passion à sens unique, c'est consternant. On a un nouveau livre à lire. Il est très gros. J'arrive pas à retenir le titre. J'ai même pas envie d'aller voir le résumé sur Internet. Je suis fichue.

13 mai

Un sur quinze à ma carte en géo. Tout ça parce que j'ai pas respecté le code couleurs. Visiblement, on se fiche pas mal que j'aie trouvé les noms des fleuves. Le vrai truc, c'était de les écrire en bleu. Retour à la case maternelle, option coloriage.

Dehors, il fait vraiment beau. Je regarde la pelouse par la fenêtre à longueur de temps. J'ai atrocement envie de sauter. Environ cent fois par jour. Où es-tu, Couette, mon amour?

14 mai

Samira m'attendait devant le lycée. Elle avait l'air gentille pour une fois. À force de ne pas me voir, elle avait oublié qui j'étais. Rien de tel que l'absence pour vous remonter une image de marque. Bref, elle m'a prise par le bras et elle s'est mise à me parler à voix basse comme si on avait toute la police de France à nos fesses.

— Devine?

— Qu'est-ce que tu dis?

— JE TE DIS : DEVINE !

— Arrête de hurler! Je ne sais pas.

— C'est au sujet d'Areski.

— Il veut arrêter le groupe?

— Non… Plus important.

— Il me vire?

— Plus important.

— Il me hait?

— Arrête de tout ramener à toi. C'est à propos de lui.

— Mais j'en sais rien, moi! Si tu crois qu'il me raconte sa vie! Il passe son temps à me crier dessus, on n'a pas beaucoup l'occasion de parler d'autre chose.

— Bon, alors, il m'a tout dit…

Elle a descendu la voix largement au-dessous du niveau de la mer. Quand elle est arrivée à Terminus Grands Fonds Abyssaux, elle a soupiré :

— Il est homosexuel.

— Quoi? Qu'est-ce que tu dis?

— IL EST HOMOSEXUEL!

— MOINS FORT! JE NE SUIS PAS SOURDE!

— Tu m'as entendue, au moins?

— Oui. Et non, je ne crois pas. Je sais qu'il n'est pas très attiré par les filles, plutôt par les garçons, mais c'est tout.

Elle m'a regardée comme si je tombais de la lune, tel Cyrano masqué.

— C'est bien ce que je te dis. Il est homosexuel.

— Ouh là… Toujours les grands mots. Tout ça parce qu'il préfère un type à une gonzesse, alors là tout de suite, homosexuel, c'est quand même un peu exagéré, non? À ce compte-là, moi aussi, je suis homosexuel.

Samira a secoué la tête d'un air découragé. Depuis qu'elle veut être médecin, il faut qu'elle mette des grands mots partout. Plus personne n'est triste, tout le monde est dépressif. Plus personne n'est amoureux, tout le monde est homosexuel et ainsi de suite. En tout cas, elle était jalouse, ça au moins c'était clair.

— Tu le savais, toi? Il te l'avait dit?

— Oui. Bien obligé. C'était quand on était à la mer avec tes parents et que tu avais peur que je le drague. Je lui ai dit: n'essaie pas de me draguer, c'est l'embrouille. Il m'a répondu : pas de problème, je ne drague pas les filles. J'étais assez contente parce que au moins, pour une fois, ce n'était pas parce que j'étais moche. Après, on est devenus assez copains, puis il y a eu cette histoire de groupe, et voilà, c'est tout.

— Il te l'a dit à toi, et pas à moi…

— Normal. Comme tu ne lui demandais pas de ne pas te draguer, vu que tu es sa sœur, il n'a pas eu à te dire qu'il ne te draguerait pas. Ne le prends pas mal, c'est déjà assez compliqué comme ça.

— Je ne le prends pas mal. Seulement, j'aurais préféré le savoir avant toi.

— Pourquoi ? Je m'en fiche tellement que ça ne compte pas. Je suis hors jeu.

— Tu n'es pas amoureuse de lui ?

— T'es tombée sur la tête ? T'as vu comment il me parle ?

Elle a eu l'air rassurée. Je l'ai sentie qui serrait mon bras en marchant.

— Après tout, tu peux sortir avec n'importe quel autre garçon du groupe.

— N'importe lequel, c'est toi qui le dis, ai-je répondu avec mélancolie.

Je suis rentrée chez moi assez déprimée. L'avantage, c'est que, tant qu'elle farfouille dans la vie privée de son frère, elle ne pense pas à me demander d'avis personnel sur son bouquin. Où il peut s'être planqué, celui-là, c'est le mystère.

15 mai

— Cette gosse raffole du fromage, a remarqué finement ma mère.

— Ne dis pas fromage, ai-je dit. Je déteste ce mot, je le déteste à fond. Je ne peux pas l'entendre sans m'évanouir.

— Fromage, a répété ma mère en haussant les épaules. Fromage.

— AAAAHHHH!!!

Il n'empêche que Rosette adore le roquefort, ce truc vert moisi gluant à moitié vivant et qui coûte par ailleurs les yeux de la tête. Je lui en ai donné un petit morceau sur le bout de mon doigt. Elle l'a suçoté en plissant les yeux. Puis elle a ouvert la bouche pour demander une rallonge. Ma filleule a des goûts de luxe. Je me demande si on peut acheter des petites quantités pour bébé.

— Bonjour, madame, je voudrais quatre grammes et demi de roquefort. Mettez-moi aussi un demi-jaune d'œuf et une boulette de mie de pain. C'est pour manger tout de suite, merci.

À mon avis, ça ne marche pas. Globalement, les commerçants détestent les bébés.

La demoiselle d'honneur portera une robe longue en voile rose légèrement transparent, un bouquet de fleurs de saison et une couronne dorée sur la tête. Une couronne ? Et puis quoi encore ? J'ai dit non. Pourquoi pas une cape en hermine pendant qu'on y est ?

16 mai

Aux dernières nouvelles, la couronne, c'est une blague de Sophie. Je la hais. La robe et le bouquet, en revanche, c'est du sérieux. Misère.

17 mai

C'est fait. Areski a balancé le film sur le Net. N'importe qui peut me voir souffler dans les bronches de Tom, maquillée comme un cirque, à demi dévêtue dans ma robe de traînée. Il paraît que 1 367 personnes m'ont déjà visitée. Je refuse d'aller voir. J'ai l'impression de me retrouver dans mon cauchemar. En pire. Au train où vont les choses, demain, je me transforme en souris.

18 mai

Le livre de Samira était mystérieusement planqué

dans un sac en plastique, avec un sachet de réglisse entamé et une boîte de cirage noir. Le sac en plastique était lui-même enfoui sous un tas. Ma chambre abrite un certain nombre de tas qui grossissent quelques mois avant que ma mère menace de tout jeter en vrac si je ne range pas. À ce stade, en général, c'est moi qui jette et on n'en parle plus. Bon, bref, il s'agissait d'un tas mixte, vêtements, vieux journaux gratuits, cahiers de l'année dernière, sacs assez moches de récupération. Et dessous, sournoisement, un simple sac de plastique propre à étouffer les tortues, et ce fichu bouquin à l'intérieur. Le vrai mystère là-dedans, c'est la boîte de cirage. Qui cire ses chaussures dans cette famille ? L'inspecteur mène l'enquête. Certainement pas moi en tout cas, je le jure. Le cirage, dans ma vie, c'est un peu comme le vernis à ongles. Une autre planète. Enfin, ce livre… J'avais oublié le dessin de couverture… c'est UNE ÉNORME SOURIS ! Sans vouloir me vanter, je suis littéralement pourchassée par les signes inquiétants et autres rêves prémonitoires. La sœur médecin de mon chef de groupe homosexuel m'envoie des avertissements issus de mes propres cauchemars par livre interposé. Et tout ça le jour même de mon anniversaire… Essayez de ne pas croire en Dieu après ça.

19 mai

Le bouquin s'appelle *Des fleurs pour Algernon*. On ne voit pas du tout ce que ça peut vouloir dire, mais au moins c'est un titre. Sans blague, je vais le lire. Sauf que, si je commence ce soir, j'en ai bien pour quinze jours. Autant dire que je n'aurai jamais le temps de me taper le pavé de la prof de français. De toute façon, je n'arrive pas à me souvenir du titre. Ça ressemble vaguement à *Algernon* mais sans les fleurs.

20 mai

Je suis trop fatiguée pour lire. À la place, j'ai téléphoné à Jabourdeau qui m'a explosé ma carte à force de pleurnicher. S'il ne fait pas un tout petit effort pour être un peu plus drôle, il peut laisser tomber. Aucune fille ne sort avec un type qui passe son temps à pleurnicher. Ça n'existe pas. Je l'ai prévenu, ce qui m'a valu une avalanche de nouvelles doléances. J'en ai plein le dos. Je rends ma robe noire et ma moustache. Que quelqu'un s'occupe de lui ramener son chien et qu'on n'en parle plus.

21 mai

Tout le monde me regarde de travers au lycée. Même les surveillants. C'est la foire aux petits sourires et autres coups de coude. Ils ont tous vu le film, c'est clair. C'est fou ce que les gens passent comme temps à espionner leurs voisins sur Internet. Et après, on se demande pourquoi il y a des crises financières, des guerres entre les peuples et tout le bazar national et international. Si les gens s'occupaient de leurs oignons et arrêtaient de lorgner chez leurs voisins, le monde irait mieux, voilà ce que j'en dis.

En attendant, je me demande comment je dois réagir. En même temps, tant qu'on ne me demande pas d'autographe, je n'ai pas grand-chose à faire. Je continue comme avant. Juste comme si de rien n'était. Je suis donc celle qui n'est au courant de rien. Un film? Quel film? Ce qui n'est pas faux dans un sens. Si une personne sur terre se refuse à voir ce film, c'est bien moi. Je suis parfaitement incomprise et seule au monde. La rançon de la gloire, je suppose.

22 mai

— Hé, j'ai dit à Areski, tout le monde l'a vu, ton film…

— J'aimerais bien, mais je ne crois pas.

— En tout cas, dans mon lycée, il a fait le plein.

— Tant mieux.

— Quoi, tant mieux ? Et moi, là-dedans ? Je compte pour rien ?

— Attends, je ne comprends pas… De quoi tu te plains exactement ?

Les nains nous fixaient d'un air gourmand, une fois lui, une fois moi, comme s'ils attendaient le moment où nous allions en venir aux baffes.

— Tu voulais chanter, tu chantes. Tu voulais qu'on t'écoute, on t'écoute.

— Peut-être, mais je n'ai jamais dit que je voulais qu'on me voie, et on me voit.

— Malheureusement, c'est la dure vie des chanteuses. Elles chantent, les gens les regardent. Celles que personne ne regarde, en général, elles arrêtent assez vite de chanter.

— Ça m'est égal. Je n'aime pas qu'on me regarde et qu'on pense des trucs. Ma robe rouge et tout ça…

— Faut quand même pas exagérer. Tu commences à avoir un petit public au lycée, et c'est déjà le drame. Pense un peu à Amy Winehouse.

— T'as vu dans quel état elle est, Amy Winehouse ?

Et ainsi de suite. Apparemment, ma voie est toute tracée. Pour moi, ce sera robe rouge, alcool, drogues et gros tatouages. Merci, les amis. J'allais partir en claquant la porte quand David m'a rattrapée.

— Tu veux quitter le groupe ?

— Bien vu, le devin.

— C'est trop tard.

— Ah bon ? Première nouvelle.

— Si tout ton lycée l'a vu, tout ton lycée l'a vu. Le pire est passé. Le reste, après, tu ne le remarqueras même pas. Il n'y aura que des gens que tu ne connais pas. Zéro importance.

— Et mes parents ? Tu y penses à mes parents ?

— À mon avis, ils l'ont vu aussi. S'ils ne t'en parlent pas, c'est qu'ils ne veulent pas t'embarrasser. C'est tout.

C'est dingue comme la voix de David est douce. Quand je parle avec lui, c'est tout juste si je ne m'endors pas sur place. Pas qu'il m'ennuie. Il me calme.

— Tu crois ? j'ai dit.

Il a hoché la tête avec un sourire très gentil et c'était sa réponse. Il n'a pas essayé de me retenir. Je suis partie du studio. Mais plus rien n'était très grave. Non, vraiment. Je me fichais de tout.

23 mai

J'étais hyper zen en revenant chez moi. J'ai posé la question de confiance au dîner. David a raison. Mes parents l'ont vu, Sophie l'a vu, Jessica et Vladouch et même le bébé Rosette l'ont vu. Je ne vais pas établir le compte détaillé de mes connaissances, mais en résumé ils l'ont tous vu. Même ceux qui ne sont pas fichus de se servir d'un ordinateur. C'est trop d'honneur.

— Vous êtes très bien, a déclaré mon père. Il paraît que c'est toi qui écris les chansons ?

— Tu es vraiment très jolie quand tu chantes, a ajouté ma mère. On dirait que tu as fait ça toute ta vie. Nous sommes fiers de toi, tu t'en doutes.

— Tu devrais mettre les boucles d'oreilles que je t'ai offertes, a dit Sophie. Elles iraient bien avec la robe. Et, la prochaine fois, je t'achète des chaussures.

J'ai répondu globalement :

— Merci, les amis, mais le mieux, c'est qu'on en parle le moins possible.

— C'est exactement ce que nous pensions, a répondu ma mère. Tu as droit à une vie extérieure, toi aussi.

Moi aussi ? Qu'est-ce qu'elle raconte ? Qu'est-ce qu'elle fabrique quand elle sort de la maison ? Une double vie ? Ma mère ?

24 mai
Germinal. Le bouquin de français s'appelle *Germinal.*

Germinal-Algernon, il y a quand même une ressemblance incroyable. N'importe qui pourrait confondre. Je pourrais toujours dire à la prof que je suis allée à la librairie et que je me suis trompée. Après tout, une fiche de lecture, c'est une fiche de lecture.

25 mai

Samira est un monstre. D'abord, je n'ai pas beaucoup dormi parce qu'il fallait absolument que je lise son bouquin, je ne pouvais pas dormir avant de l'avoir terminé. Ensuite, je pleurais tellement à la fin que même le lendemain mes yeux étaient rouges. Mais il était trop tard ou trop tôt pour que je l'appelle, elle pour l'insulter, ou n'importe qui d'autre, pour me faire consoler. J'étais seule face à mon oreiller trempé et le monde était juste un océan de malheur. Va au diable, Samira. C'est le dernier livre que je lis de ma vie. Si c'est pour me ruiner l'existence, à partir de maintenant je ferai sans. La grande traîtrise, c'est que celui-là est écrit comme un journal. Comme ça, on peut bien s'attacher au héros. C'est ignoble. « Plus tu seras intelligent, plus tu auras de problèmes, Charlie. » Voilà ma nouvelle devise. Je ne vais pas raconter l'histoire parce que je vais me remettre à pleurer. Je suis peut-être un peu Charlie, mais certainement pas Jabourdeau. Ça, non.

26 mai

Mariage dans quinze jours. Sophie est sur les dents. Pardon. Sur l'appareil dentaire. Je me demande dans quel état est Chef Simon. À cran. Probablement.

27 mai

J'ai appelé Samira.

— Tu m'offres jamais plus de bouquin, toi.

— Pourquoi ? T'as pas aimé ?

— J'ai tellement aimé que ma vie est détruite. Merci beaucoup.

— Tu trouves pas que tu en fais trop ?

— Je pense à Charlie tout le temps.

Elle est restée silencieuse un instant.

— Aurore, Charlie n'existe pas vraiment. C'est une histoire. Tu ne crois pas que tu fais un peu de dépression ? Areski m'a raconté. Toute cette histoire avec le film…

Je n'ai même pas répondu. Elle est pareille que les médecins du livre. Une créature inhumaine, bourrée d'intelligence et dépourvue de cœur. À quoi bon se fatiguer à lui parler ?

J'ai raccroché. Le téléphone a sonné aussitôt et je n'ai pas pu m'empêcher de prendre l'appel.

— ALLÔ !!!

— Hé ho, pas de panique. C'est juste moi, David.

— QU'EST-CE QUE TU VEUX???

— Rien. Juste savoir si tu allais mieux après la répète. Mais je vois que tu as retrouvé toute ta voix…

J'allais encore me mettre à hurler, pour me venger de tout, mais je me suis laissé déborder par les sanglots.

— Qu'est-ce qui se passe? disait gentiment David. Qu'est-ce qui se passe, Aurore? Ce n'est qu'un petit film comme il y en a des millions…

J'ai hoqueté.

— Rien à battre, du film. C'est ce livre, que j'ai lu, ce livre, là, *Des fleurs*…

— … *pour Algernon?*

— Oui (pleurs et hoquets).

— Je comprends. C'est dur, je sais. Mais tu vas voir, ça va passer.

— Je ne pourrai jamais l'oublier…

— Personne ne te demande de l'oublier. Je te dis juste que tu auras moins de chagrin. Un jour, tu arriveras même à te dire que c'est un livre, une histoire inventée par un type…

Sa voix au téléphone était une douce Biafine sur mes brûlures.

— Tu crois, David?

— Oui, je crois, Aurore.

Et c'est à ce moment précis que j'ai réalisé que, malédiction, le machin était en train de me foncer dessus à la vitesse d'un cheval au galop. J'allais tomber raide amoureuse de David sitôt que j'aurais raccroché, aussi sûr que deux et deux faisaient quatre (et le font toujours, d'ailleurs). Au moment même où je me confiais innocemment au téléphone, une quantité d'hormones jusque-là désœuvrées se précipitaient frénétiquement pour se fixer sur son image. Adieu Charlie et sa vie tragique. Bonjour David et sa voix de miel. Philtre, le retour. À quand l'overdose?

28 mai

Je n'ai pas de tête. Je n'ai pas de cœur. J'ai des glandes. Voilà l'histoire de ma vie.

30 mai

Dernière innovation areskienne. Enregistrer la maquette ne suffit pas à notre bonheur. On a concert en juillet dans une campagne pourrie, à l'invitation d'un festival bouseux, au milieu de trente autres groupes foireux.

— Tu acceptes? a demandé Areski. Ou je te cherche une remplaçante?

J'ai regardé David par en dessous et j'ai répondu:

— J'accepte. Ce groupe, c'est quand même moi. Je veux dire, principalement, non?

Personne n'a relevé. Visiblement, les nains en ont marre du débat démocratique. D'un autre côté, je tenais moyennement à commencer une discussion. La seule raison pour laquelle je vais me traîner à ce truc s'appelle David. Avec un peu de chance, on sera obligés de dormir sur place. Peut-être même sous la tente. Voire sous la même tente. Trop étroite et en pente. On ne sait pas ce qui peut se passer. Non, on ne sait pas.

JUIN
Mariage et tralalas

2 juin

J'ai zappé *Germinal*. Franchement, j'en ai un peu marre de tous ces bouquins qui se passent dans l'ancien temps. Dans les mines de charbon, en plus. Les mines de charbon, le vieux truc qui n'existe plus. Du charbon, j'en ai même jamais vu. En photo dans les bouquins de SVT peut-être? J'ai fait ma fiche sur *Algernon*. Ça passe ou ça casse. À mon avis, ça casse. J'ai rendu quelque chose de très largement argumenté. Tous les arguments sont pour le livre, sauf le dernier qui concerne la fin. Atroce. *Algernon*, c'est quand même l'histoire d'un type complètement à la ramasse mais pas trop malheureux et qui devient très intelligent et très malheureux. Tout ça à cause d'une bande de médecins sans scrupules qui le soignent de force. Son plus gros malheur est qu'il suit le même traitement qu'une souris, et qu'il voit que la souris, après être devenue très maligne, revient en arrière et redevient complètement naze. Et à la fin, bien entendu, elle meurt. Donc, il sait ce qui l'attend… C'est la souris qui s'appelle Algernon. Le type s'appelle Charlie. L'auteur s'appelle Daniel Keyes. Pour une fois, c'est un type normal, avec des photos comme preuve de sa réalité, et qui existe vraiment même si c'est en Amérique. Le tout disponible sur Internet.

Pour l'année prochaine, si je ne redouble pas, ça m'étonnerait qu'on me laisse aller en littéraire. J'ai des choses à dire mais elles collent rarement à ce qui plaît en cours de français. Tout ce que j'ai à dire est tragiquement hors sujet. De toute façon, je préfère aller chez les scientifiques. *Algernon*, à mon avis, est plus un livre scientifique qu'un livre littéraire.

3 juin

Le mariage est sur orbite. J'ai passé la robe. On voit ma culotte.

— Jessica, j'ai dit, passe encore pour la coupe, encore que, mais on voit ma culotte.

— T'as qu'à mettre une culotte rose, a répondu Jessica, qui avait des aiguilles plein la bouche.

— Je vais pas mettre de culotte du tout, puisque c'est ce que tu veux.

— Tais-toi ou je t'enfonce une aiguille dans le gras des fesses.

— Ne dis pas «fesses» ou je te tue.

— D'accord, je vais juste t'enfoncer une aiguille dans le gras.

— Ne dis pas «gras» non plus.

— Tais-toi.

C'est plus un mariage, son truc. C'est une exhibition.

5 juin

Apparemment, mon père est incroyablement populaire chez ses collègues. On se demande ce qu'ils peuvent bien lui trouver. Bref, ils lui ont déniché un endroit formidable avec jardin pour marier sa fille. C'est au bord d'une rivière. Une sorte de guinguette où on peut faire de la musique jusqu'à pas d'heure. Et se noyer en fin de soirée probablement. Je suppose qu'ils espèrent tous être invités. Ça va être gai.

6 juin

Mariage, mariage, mariage. Il pourrait y avoir une guerre, la Terre pourrait exploser, je pourrais redoubler, ils s'en fichent. La seule chose qui les intéresse, c'est le nombre de petits roulés à la tapenade que

Sophie doit préparer pour accompagner le pétillant aux pêches. C'est à peine croyable, mais ma sœur a réussi à convaincre mes parents qu'elle pouvait faire le traiteur. Elle a embauché Mamie, ma mère, et tout ce qui est physiquement capable de tenir un couteau à bout rond pour étaler de la purée d'olive sur de la pâte feuilletée. Mon père a refusé, il estime qu'il en a assez fait en trouvant la guinguette. J'ai refusé, j'estime que j'en ai assez fait en général. Sophie a deux arguments inattaquables. Elle fera aussi bien qu'un traiteur et pour beaucoup moins cher, et d'un. Chef Simon ne la laissera pas tomber, et de deux. Un cuisinier virtuel dirige notre famille à distance. On dirait un livre de science-fiction. Je pourrais l'écrire, si seulement j'avais le temps. Daniel Keyes, si vous voyez ce que je veux dire.

7 *juin*

Comme j'ai refusé de participer au grand atelier buffet, on m'a obligée à promener Rosette. Je l'ai collée dans sa poussette et nous voilà parties direction le parc. Quelle idiote je fais. Jamais j'aurais dû retourner au parc. En arrivant, j'ai été la cible d'une attaque de nostalgie géante. Ce parc, après tout, c'était le mien. C'est là qu'on m'emmenait quand j'étais petite. La baraque où l'on vendait des glaces était fermée et son rideau de fer rouillé. Mais j'ai retrouvé les grands arbres, les balançoires, le bac à sable, le tourniquet. Avec le temps, tout était un peu abandonné et décoloré. C'était comme si je revoyais mon enfance à moi, pareillement abandonnée et décolorée. J'étais tellement désemparée que je ne pouvais même pas verser ma petite larme. Je me sentais seulement furieuse et désespérée. Du coup, je me suis identifiée à mort à Rosette. Je voulais à toute force qu'elle soit très heureuse dans mon parc. Je l'ai prise dans mes bras et nous nous sommes balancées sur toutes les balançoires. Ensuite, nous avons tourné sur le tourniquet. Ensuite, nous avons marché sous les arbres et nous nous sommes reposées au bord du bac à sable. Rosette a essayé d'en manger quelques poignées, mais il était tout gris et collant. J'ai essuyé les paumes de ses mains.

— Laisse tomber, Cochonnette. C'est du vieux sable. Je te paierai une glace sur le chemin du retour.

Parce que nous étions deux, la promenade a perdu sa tristesse, elle s'est même emplie de joie. Rosette n'arrêtait pas de sourire et de dire «OOO». Franchement, je n'ai jamais rencontré de bébé aussi intelligent. En même temps, je n'ai pas rencontré tellement de bébés dans ma vie. Il y a bien eu Sophie mais je n'arrive pas à croire qu'elle a été bébé un jour. Elle est tellement sérieuse. On dirait qu'elle a toujours été traiteur.

9 juin

Célianthe ne sait pas quoi faire de Jabourdeau. Et à qui elle demande conseil ? À la vieille gouvernante qui se tient au fond de la scène. Vous voyez ? La robe noire et la moustache assortie.

— Qu'est-ce que tu veux que je te réponde ?

— Je l'aime bien mais je ne crois pas que je l'aime assez pour sortir avec lui.

— Tu pourrais faire un effort… On ne sait jamais. Avec un peu de chance, il est peut-être différent en tête à tête.

— J'ai peur qu'il soit pire. Et je ne sais pas si j'ai très envie de tête-à-tête.

Je ne sais pas pourquoi je n'aime pas tellement «tête-à-tête». Je ne peux pas m'empêcher de penser aux têtes de cochons accrochées chez le boucher, au-dessus des lapins.

— Ne dis pas «tête-à-tête», s'il te plaît.

— D'accord. Des fois, je me demande qui est le plus zinzin. Toi ou Jabourdeau.

— C'est moi. Ne me demande pas de conseil. Ne me demande jamais de conseil. Je suis dingue.

J'aimerais bien qu'ils s'occupent eux-mêmes de leurs affaires, ces deux-là. Je ne suis pas leur mère.

11 juin
J'ai zéro à *Algernon*. La prof pense qu'il est impossible que j'aie confondu avec *Germinal*. Elle aurait pu faire semblant de me croire. Mais non. Elle préfère le conflit. Zéro, dans un sens, je m'y attendais. C'est le commentaire qui m'a sciée : «Vous êtes invités ici à lire des œuvres d'une réelle qualité littéraire, et non des ouvrages mineurs d'un intérêt médiocre, tant pour votre connaissance de la littérature française que pour l'éducation de votre goût.» Je ne vois même pas ce qu'elle veut dire, à part qu'*Algernon* est un bouquin étranger pour les imbéciles et que je n'ai aucun goût. Tant pis. Je ne veux pas de sa connaissance ni de son éducation. Il faut que je pense à le lui dire avant la fin de l'année. Je suis sûre qu'elle n'a pas lu une ligne de ce que j'avais écrit. Je suis dégoûtée. Est-ce qu'il y a du français en première S ? J'espère bien que non.

12 juin
Mariage, J moins deux.

— Tu devrais acheter un panty, m'a dit ma mère. Si ça te préoccupe autant que ça.

— Oui, ça me préoccupe, de montrer mes fesses dans une église, si tu peux entendre ça. Et qu'est-ce que c'est qu'un panty ?

— Une sorte de boxer un peu long sur les cuisses.

— C'est pas un chien, le boxer ?

Avis à tous les dictionnaires : le panty est un short collant qui descend à mi-cuisses. Un cycliste version mémère. Le véritable sous-vêtement fait pour moi. Je pourrais même me passer de la robe et y aller directement en panty. Panty, panty. Quel drôle de mot. Mon mariage en panty.

13 juin

Mariage, J moins un. Tous les frigos de toutes nos connaissances sont bourrés jusqu'à la gueule de blancs de poulet pris en gelée de sauge et autres chiffonnades d'endives aux pétales de betteraves, huile de noix et baies roses. Le fromage sera livré directement sur place et la pièce montée a été confiée à un pâtissier, Sophie est téméraire mais pas folle. Pour les assiettes, c'est la guinguette qui prête. On les dressera dans la cuisine derrière le bar.

J'attendais vaguement qu'on me demande d'interprêter une de mes chansons en robe rouge mais personne ne s'est manifesté. Ils ont peur de ce que je pourrais écrire. Je les comprends. Ou alors c'est qu'ils n'ont pas l'intention d'inviter cinq garçons voraces à manger leurs baies roses. Je les comprends aussi. Bref, ce sera musique enregistrée ou rien. Avalanche de tubes du siècle dernier en perspective.

15 juin
Mariage. J plus un. Personne ne s'est noyé. Et je reprendrais bien un peu de café. Par pitié.

16 juin
Mariage J plus deux. Je n'ai presque plus mal à la tête. Quand je ferme très fort les yeux, je me sens même assez en forme.

L'église était un peu sombre pour que l'assemblée profite à plein de mon panty rose. Mais, comme tout le monde avait pu l'admirer à la mairie, il n'y avait rien à regretter. L'autre demoiselle d'honneur était une copine de lycée de Jessica. La pauvre chose cherchait visiblement un mari personnel. Elle n'arrêtait pas de prendre des poses dans le soleil, comme si sa robe était sa dernière chance de décrocher un prétendant. Un seul critère : aimer les culottes noires. Je m'accrochais désespérément à ma chaise dans l'espoir fragile qu'on oublie mon panty, tandis que ma sœur et Vladouch se faisaient une masse de promesses légales sous les yeux émerveillés de Lola. Tout a une fin, grâce à Dieu. Sitôt achevées les diverses cérémonies, j'ai foncé à l'appartement pour me couvrir décemment. Jessica m'avait interdit de mettre mon jean, alors j'ai pris ma robe rouge. Et j'ai piqué les tongs de Sophie. Je n'ai pas mendié sa permission, vu qu'elle était déjà sur le site avec sa toque et son tablier. Je me suis dit qu'elle serait de toute façon trop occupée pour me faire un procès pour une histoire de chaussures. Mauvais calcul. J'étais à peine arrivée à la guinguette qu'elle s'est jetée sur moi.

— Rends-moi mes tongs!

— Tu veux laisser ta sœur sans chaussures? Maman! Sophie ne veut pas me prêter ses tongs!

Sophie s'est tournée vers Maman, elle était hors d'elle.

— Elle n'a rien fait pour le mariage, elle a passé son temps à me critiquer, et maintenant elle pique mes tongs dans ma chambre?… Tiens, attrape ce plateau! J'en ai trop marre. Je m'en vais. De toute façon, tout est prêt. Vous n'avez qu'à finir le mariage sans moi!

La pure scène d'hystérie. J'ai regardé ma mère.

— Elle est en train de péter un câble ou quoi?

Ma mère a secoué la tête. Elle avait l'air passablement énervée, elle aussi.

— Elle a raison! Rends-lui ses chaussures! Tout de suite!

— Mais elle en a déjà, des chaussures! Et moi, je vais être pieds nus!

— Eh bien, tu seras pieds nus. Après tout, c'est une question d'habitude...

— Tu ne vas pas me reprocher de jouer dans un groupe quand même!

— Arrête de tout mélanger! Rends les tongs à ta sœur!

Ma parole, elles étaient enragées toutes les deux. J'ai été obligée de me lancer dans une opération diplomatique.

— Sophie, je te les achète. Je te paie dès qu'on rentre à l'appartement. Dis ton prix.

Elle a réfléchi.

— Quarante euros.

— Quoi? Pour des tongs que tu as achetées au marché?

— C'est quarante euros ou rien. Tu n'as qu'à en trouver d'autres, des tongs, si les miennes sont trop chères pour toi.

Elle profitait à mort de la pénurie de tongs à la guinguette. J'ai été obligée de céder.

— Ça marche. Tu iras en enfer, mais ça marche.

— Et si tu essaies de te défiler, je dirai à Maman de pomper directement sur ton argent de poche.

Ma sœur devrait laisser tomber la cuisine et se lancer dans la banque. Quand on a tous les talents, il faut choisir le plus rentable.

Pour qu'on arrête de m'assommer de reproches, j'ai fait mon possible pour assurer le service à table. Je courais partout en glissant sur ces tongs pourries. Enfin, les joyeuses tablées se sont jetées sur les assiettes et je me suis assise. J'avais moyennement envie de manger ce que cette voleuse avait préparé. J'ai préféré boire tranquillement le vin rouge de mon père.

— C'est toi qui chantes dans un groupe de rock sur Internet ? m'a demandé un de ses collègues.

— Non. C'est ma petite sœur, là-bas, celle qui porte des lunettes.

— Ah, a fait le type. J'étais sûr que c'était toi.

— On nous confond souvent, c'est pour ça.

J'ai continué à boire du vin rouge dans l'indifférence générale. Personne ne me regardait, personne ne s'intéressait à moi. J'aurais aussi bien pu me jeter

dans la rivière, c'était pareil. Une adolescente désespérée en train de se suicider au vin rouge dans
l'abandon le plus complet. Le fromage est arrivé, lentement mais sûrement, et les gens ont été pris de
bougeotte. Ils n'arrêtaient pas de quitter leur table
pour aller faire un brin de causette à une autre table.
Comme s'ils s'ennuyaient à périr avec leurs voisins.
Lola n'a pas tardé à venir me taper sur l'épaule. Du
coup, mon voisin lui a laissé sa place et il est parti.
Apparemment, à moins d'être vedette sur Internet,
on a du mal à accrocher ses voisins.

— Alors ?

— Je m'ennuie atrocement, a fait Lola. Il n'y a que
des copines de Jessica à ma table. Elles n'arrêtent pas
de parler de gosses. Beurk. Et toi ?

— Pareil. Je n'ai envie de parler à personne.

Là où c'était un mensonge, c'est que j'avais très
envie de parler à quelqu'un qui, précisément, n'avait
pas été invité. J'aurais donné n'importe quoi pour
que David soit là. Je n'avais pas arrêté de penser à lui
dans la journée. Et le soir, c'était pire que tout. C'est
quand même bizarre de constater que l'amour est
plus actif la nuit que le jour. Dans le fond, c'est un
peu comme la fièvre. La température monte en fin
de journée. J'étais écœurée de tout. Même de Lola.

Je ne voulais rien d'autre que de rêvasser à la belle vie que j'étais en train de ne pas vivre. David dans la nuit de juin, au bord de la rivière, les ampoules de la fête, le bruit au loin. Et moi ventousée à son côté en train de lui parler d'*Algernon*. J'ai bu encore un verre de vin rouge et je suis allée m'asseoir au bord de la rivière. J'ai entendu les gens applaudir quand la pièce montée est arrivée, et la musique a démarré. Je me sentais affreusement mélancolique et nauséeuse en pensant à ma vie ratée. À la fin, une de mes tongs est tombée dans la rivière. Je venais de flanquer vingt euros à l'eau, et les vingt qui me restaient ne me servaient plus à grand-chose. Après, je ne me souviens plus de rien, la nausée s'est transformé en mal à la tête et je me suis endormie. Quand je me suis réveillée, ma robe rouge était chiffonnée, Lola dansait toute seule sur la piste, on voyait des traînées blanches dans le noir de la nuit, et il était l'heure de rentrer. Le mariage était fini. C'était bien la peine de faire tant d'histoires. Personnellement, je ne me marierai jamais.

19 juin
  «*À mon mariage, non j'irai pas*
  Tous mes parents iront sans moi.

Je t'invite, chéri, au grand voyage
À l'évasion au décollage.
J'ai deux tickets pour l'paradis
Deux allers simples, partons d'ici.
Tous leurs serments, j'les dirai pas
Tous leurs papiers, j'les lirai pas.
J'serai sur la route à côté d'toi
Réfléchis, on vivra pas deux fois.
Fais tes valises, viens, on s'en va.
Et pour la noce, on sera pas là.
J'servirai pas mes rêves au repas
J'inviterai pas les gens dans mes draps
Mon mariage, il se fera sans moi
Et ce sera aussi bien comme ça.
L'amour c'est privé, mon amour,
La fête, on la fera au retour. »

J'aurais pu la chanter au mariage, celle-là. Avec un accompagnement de clavier tout simple. Juste moi et David. David et moi. Encore une chanson qui vient trop tard. Trop tard, c'est le résumé de ma vie.

20 juin

J'ai eu un peu de mal à comprendre que pour finir je passais en première. Je me suis tellement fait menacer que j'ai pensé un instant que j'étais juste dégagée du système scolaire. Renvoyée, virée, jetée. La prof d'histoire principale m'a pourrie publiquement pendant des heures, au motif que j'étais paresseuse, insolente, insensible et même d'une intelligence limitée. À part une souris débile, qui peut confondre *Germinal* et *Algernon*? Sans parler du code couleurs des cartes de géographie, mesure de l'intelligence humaine. Bon bref, elle s'est vengée à fond. À l'écouter, j'étais bonne à rétrograder en grande section de maternelle. Sauf que, juste à la fin, elle a laissé tomber:

— Mais enfin, après avoir pris en compte vos résultats dans les matières scientifiques, l'établissement vous accorde une période d'essai selon vos vœux.

— Sans vouloir être insolente, madame, s'il vous plaît, je n'ai pas bien compris. Je passe en première? Ou pas?

Elle a haussé les épaules:

— Il vous arrive d'écouter quand on vous parle?

Je n'étais pas position de force. Un prof qu'on énerve est incontrôlable, et malheureusement l'étendue de son pouvoir est également incontrôlable. J'avais intérêt à me tenir à carreau. J'ai donc hoché la tête d'un air dépité et je l'ai bouclée. Voilà pourquoi les gens se retrouvent dans la poisse. Ils ont hoché la tête au moment où il ne fallait pas, tout ça parce qu'ils n'avaient pas compris un mot de ce qu'on leur disait.

«Voulez-vous, en agissant courageusement dans un esprit de coopération entre les peuples, défendre la civilisation, la culture et l'avenir de vos enfants?»

Et hop, un billet d'avion pour la guerre en Afghanistan.

«Voulez-vous, en vous engageant à rétribuer régulièrement le créditeur qui vous le propose, atteindre un train de vie dont vos parents auraient rêvé qu'il fût le vôtre?»

Et badaboum, endetté à vie.

Il a fallu que j'attende l'interclasse pour en avoir le cœur net.

— Mais oui, tu passes! m'a dit Célianthe. Ça lui faisait juste mal au ventre de te le dire directement.

— Elle a dit «à l'essai»…

— Vu ton heureux caractère, ça m'étonnerait qu'ils te renvoient pourrir une classe de seconde… Au pire, tu redoubleras ta première.

Et voilà comment on se débarrasse de vous en vous giclant dans la classe supérieure. Sur le coup, j'avais presque envie de réclamer mon redoublement pour cause de respect des droits humains. Mais il était déjà onze heures, et Jabourdeau a sorti un paquet de chips de son sac. J'avais trop faim. J'ai renoncé à tous mes droits. J'ai tendu la main :

— Par ici, les chips, Jabourdeau !

Et voilà, je passe en première. Je suis déshonorée.

21 juin

— Tu ne peux quand même pas redoubler toutes tes classes, a remarqué Sophie.

C'est le seul encouragement que j'ai reçu chez moi. Ils m'en veulent à mort pour cette histoire de mariage. Soi-disant que j'aurais été désagréable avec les invités, que j'aurais bu du vin rouge, et que j'aurais disparu à la pièce montée. Comme si je l'avais fait exprès… Ils oublient de préciser que la fête était naze, que ma sœur m'avait escroquée de quarante euros, et que je m'étais tapé deux cérémonies en panty rose. Je fais des efforts dingues et voilà comment on me remercie. J'aurais dû redoubler. Je regrette, je regrette.

22 juin

Et si je me droguais ? Et si j'allais acheter de la cocaïne au terminus des bus ? Qu'est-ce qu'ils diraient ? Ils seraient bien obligés de s'intéresser à moi, voilà la vérité. Ils iraient me récupérer chez les flics, ils parleraient de moi à leurs amis, ils feraient des insomnies d'inquiétude... Je me demande s'ils ne seraient pas CONTENTS. Ce serait autre chose qu'une ado déprimée qui s'enfile trois verres de rouge avant d'aller roupiller comme un gros tas au bord de la rivière. Ce serait plus chic. Je suis trop bête. Je devrais devenir délinquant. En attendant, j'ai envie de voir David. J'ai envie de lui parler. Je me sens seule comme un rat et c'est dingue ce que j'ai envie de voir David.

23 juin
> *« Dites à mes parents que j'voulais pas ça*
> *Il ne faut pas qu'ils désespèrent.*
> *Dites à mes parents que j'dors au commissariat*
> *Et d'ailleurs non, dites rien à ma mère.*
> *Dites à ma grande sœur que j'voulais pas ça*
> *Et qu'elle ne soit pas trop sévère.*
> *Dites à ma p'tite sœur de pas faire comme moi*
> *Je suis juste une fille sans repère.*
> *Dites à mes amis que j'voulais pas ça*
> *J'me sentais juste trop solitaire.*
> *Dites à mes profs que j'voulais pas ça*
> *Ou plutôt, cassez tout, je préfère.*

Dites à mon amour qu'on se retrouvera
Dites à mon amour que je l'aime.
Dites à mon amour que j'voulais pas ça
J'voulais seulement calmer ma peine. »

— Ça s'arrange pas, a fait Lola. Et t'es quand même un peu gonflée de dire que tes amis t'aiment pas.

— Je suis obligée de faire les phrases pour la rime. Solitaire, ça rime avec repère…

— Ça rime aussi avec pomme de terre. T'avais qu'à trouver une phrase avec pomme de terre.

— Tu devrais écrire des chansons. C'est dommage de priver la musique d'un tel talent.

— Justement, j'y ai pensé, figure-toi.

— Des chansons sur les légumes ?

— Au moins, j'irais pas balancer que mes amis m'ont plantée comme une vieille chaussette.

— Une vieille pomme de terre ?

Le problème, avec Lola, c'est qu'on ne peut pas discuter sérieusement cinq minutes. Quand c'est pas elle qui ruine le débat avec une réflexion idiote, je me sens obligée de voler à son secours.

24 juin
Il fait chaud. Je reste sur mon lit en panty et je regarde le plafond. J'écoute Édith Piaf. J'ai piqué le

CD chez Mamie. Tous ces vieux chanteurs patrio-
tiques avec orchestre. Au moins, ils donnaient de la
voix. Il paraît qu'il y a un film. C'est quand même
fou, tous ces films. Moi aussi, j'en ai un, même s'il est
sur Internet. Les gens envient les stars. Ils ne savent
rien de leur solitude.

25 juin
Après l'arnaque des tongs, l'arnaque de la robe.
Jessica a essayé de me reprendre la rose transparente.

   — De toute façon, tu ne la remettras pas.

   — Pourquoi tu dis ça?

   — Un pressentiment.

   — Je voulais la garder en souvenir.

   — Quel souvenir? Tu l'as enlevée pour la fête.

   — De toute façon, à la fête, je dormais.

   — C'est vrai. Rends la robe.

   — Qu'est-ce que tu vas en faire?

   — Des habits pour Rosette.

   — Déjà qu'elle s'appelle Rosette et en plus tu
veux lui coller des habits roses?

   — Je fais ce que je veux, c'est ma fille.

   — C'est ma filleule.

   — Justement. Qu'est-ce que tu fais le mois pro-
chain? Ça m'arrangerait que tu la gardes le matin.

— Tu me paies combien?

— Rien.

— Rien? Pourquoi je dirais oui?

— Parce que je n'ai pas un sou, parce que tu es sa marraine et parce que tu n'as absolument rien à faire de l'été. Et au moins, tant que tu seras avec Rosette, tu ne te disputeras pas avec Sophie.

— Alors je garde la robe.

— Rosette et la robe. Ça marche?

— J'ai pas le choix. Ça marche.

Mon mois de juillet est mort. Et qu'est-ce que je vais faire de cette robe idiote, c'est la question.

26 juin

Jabourdeau a emmené Célianthe au cinéma. Il n'a pas vraiment choisi le film. Il a pris celui qui passait à côté de chez lui. Le genre de petit cinéma prétentieux qui ne sort que des vieilleries. Je suppose que c'est moins cher que les films neufs. Bref, c'était largement périmé. Exactement le style qu'on loue en DVD. En même temps, vu du côté de Jabourdeau, la salle de cinéma classique offre des avantages: on s'assied côte à côte, on est enfermés pendant deux heures, on a les jambes et les coudes qui se touchent, et surtout il fait noir.

Il a fait ce qu'il avait à faire. Il a touché la main de Célianthe. Ensuite, il a pris cette main dans la sienne et l'a gardée un certain temps. Après quoi, il a posé sa tête sur l'épaule de Célianthe. Ensuite Célianthe s'est chargée de l'embrasser. À mon avis, elle en avait plein de dos de cette histoire qui traînait depuis le début de l'année. Comme elle n'arrivait à se débarrasser de lui, elle est allée au plus simple.

— C'est à cause du film, a-t-elle dit un peu plus tard au téléphone. C'est l'histoire d'un type qui n'arrête pas de draguer une fille qui le jette. Le type a l'air taré mais dans le fond, il est bon. À la fin, la fille craque et elle dit oui.

— Et alors?

— Ils s'entendent à merveille et ils sont heureux ensemble toute leur vie.

— Un vrai conte de fées.

— En quelque sorte. J'ai pensé que Jabourdeau avait l'air un peu taré mais qu'il était fidèle à son amour, comme le héros.

— Et alors?

— Ma mère sera ravie. Tu sais qu'elle l'adore?

— Ta mère? Ma parole, c'est *La Princesse de Clèves*, ton truc. Et lui?

— Toujours pareil. Il pleurait à la fin du film.

— Il est sensible.

— Oui.

Les gens sont bizarres avec leurs histoires d'amour. Ils ont des sentiments solubles dans les films, les disques et même la musique. Ils confondent le faux et le vrai. Ils admirent le faux et ils l'appellent le vrai. C'est un peu comme moi avec *Algernon*. Je pense comme Charlie, je vois la vie dans les yeux de Charlie. «Tu ne sais pas ce que c'est d'avoir quelque chose qui se passe en toi, que tu ne peux ni voir ni contrôler, et de sentir que tout te file entre les doigts.» Charlie, c'est moi.

27 juin

Fin des classes. Adieu, matières littéraires surestimées. Bon débarras.

JUILLET

Hyperactivité estivale

1ᵉʳ juillet

À la place de Jessica, jamais je ne me confierais ma fille. Ni aucun autre gosse au monde. On dirait qu'elle ne me connaît pas et qu'elle m'a recrutée sur petite annonce. Ma sœur est barjotte. Fauchée et bar-jotte.

2 juillet

Je vais peut-être essayer la robe rose pour le festival. Avec son panty. Effet de surprise garanti. Au moins sur les nains.

5 juillet

Rythme d'enfer pour les répètes. Je n'ai plus de vie à moi. Le matin, je rosette. L'après-midi, je chante. Après, je vois Lola et quelquefois Célianthe et Jabourdeau, lequel a changé d'appellation et s'appelle désormais Thomas. Jessica avait raison, je n'ai même plus le temps de me pourrir avec Sophie. Le soir, je suis trop fatiguée pour lui tomber dessus. Celle-là, quoi qu'elle fasse, elle s'en sort toujours bien.

7 juillet

Ma mère est en grève. Son entreprise va supprimer des emplois. Standardiste, à mon avis, ça se supprime facilement. On envoie le standard en Inde et le tour est joué. Je le sais, je l'ai vu à la télé. Avec un peu de malchance, on va revenir à *La Cuisine des fauchés*. Voire à *La Cuisine des superfauchés qui dorment sous une tente*. Le vrai menu composé de sardines en boîte des Restos du cœur, et ce coup-là Sophie n'y pourra rien. Bref, la grève.

— C'est quand même bizarre de ne pas travailler parce qu'on veut travailler, j'ai remarqué.

— Sors d'ici et va au diable, a dit mon père en tapant du plat de la main sur la table.

Ma mère n'a rien dit. Elle passe son temps à se moucher et à avoir l'air traqué. Si c'est sa stratégie, elle n'a pas le mental gagnant.

— Comment tu veux qu'elle se défende ? a fait Sophie alors que j'allais me lever pour partir au diable. Tu veux qu'elle pose des bombes ?

— Oui, j'ai dit. Pas des grosses. Des petites. Des bombinettes. À qui ça fait peur, Maman en grève ?

Tu peux me le dire? «Ouh là là, je viens pas à mon travail qu'on va me supprimer», j'appelle pas ça se défendre.

— Tu peux te rasseoir, a dit mon père.

— Alors, contre la grève, je sors. Pour les bombes, je reste. C'est ça?

— J'ignorais que tu avais des idées sur la question.

— Pas besoin d'avoir fait cent ans d'études pour savoir ce qui va se passer si elle perd son boulot. Tu ne pourras jamais payer le loyer tout seul. Si on veut continuer à manger, en tout cas.

— Je sais bien que la grève n'aura pas beaucoup d'influence, a plaidé Maman. Mais je ne me vois pas aller au boulot quand les copains sont en grève.

C'était gentil de sa part. Mais comme argument, ça n'allait pas très loin.

— Et chercher un autre boulot?

— J'ai commencé. Le problème, c'est que je n'ai pas vraiment de qualification. Et que j'ai quarante-cinq ans. Je commence à sentir la poubelle à plein nez.

— AAHHHH!!! Ne dis pas ça!

— Quoi, ça?

— «Sentir la poubelle». C'est atroce. Et «à plein nez»… C'est pire. Je ne peux pas entendre ça. Tu es dingue ou quoi?

Preuve que tout allait de travers, ma mère s'est mise à rire, suivie avec un temps de retard par mon père, ce qui a obligé Sophie à sourire, même si c'était forcé.

— C'est toi qui es dingue.

— Peut-être, mais au moins je ne fais pas grève pour me défendre.

— Toi, ce serait plutôt le style faire grève pour faire grève, a remarqué la perfide Sophie.

— Au moins, je ne risque pas d'être déçue.

— Puisque tu es si maligne, a demandé Maman dont les yeux riaient encore, qu'est-ce que tu ferais, toi?

C'est la meilleure. Des parents déclassés qui demandent des conseils à leurs enfants déprimés. Le fond du fond.

— Laisse-moi réfléchir. Je te dirai demain.

— Chic, a dit Maman.

La perspective avait l'air de lui plaire. Je remonte le moral de ma mère en lutte. Ce sera mon soutien à sa grève idiote.

9 juillet

— Rosette, je sais que ta mère n'a pas de boulot. Ce qui présente l'avantage que personne ne pourra le lui enlever. Mais si tu as des idées, tu peux les donner. Je prends.

— O, a fait Rosette. OOOO. OOOOOO.

— Jamais tu vas te décider à parler, toi?

— Oooomolomolooo. Blll. Bllll. Bllll.

— C'est tout?

C'était tout et nous tournions comme des toupies sur le tourniquet. Il était dix heures du matin et il faisait déjà chaud. Des enfants jouaient à se courir après et à se taper dessus. Quelques bonnes femmes discutaient entre elles en mangeant distraitement les biscuits des gosses. Pas un seul type sur les bancs. Et après, on vous dira que le monde a changé, que les hommes et les femmes, aujourd'hui, c'est pareil. Bla bla bla. Dans une autre dimension alors. Dans les livres de Daniel Keyes.

Je me suis levée du tourniquet et nous sommes allées nous asseoir au bord du bac à sable. Une des bonnes femmes s'est assise à côté de moi.

— Il est drôlement mignon, a-t-elle dit en regardant Rosette.

— C'est une fille.

— Alors elle est très mignonne, a poursuivi l'autre comme si on lui avait demandé quelque chose. C'est votre petite sœur?

– Ah non, j'ai fait. C'est ma fille.

– Oh, pardon! Excusez-moi, je voulais dire bravo. Oh, bravo! C'est... c'est magnifique d'avoir une maman aussi jeune!

Elle parlait comme si j'étais Algernon. Je savais très bien ce qu'elle pensait. Elle pensait: «Oh misère! C'est... c'est idiot d'avoir un gosse aussi jeune.»

– Soyez pas triste. Vieille, c'est pas mal non plus. Sous le rapport de l'expérience, je veux dire.

Nous en sommes restées là. J'ai pris Rosette dans mes bras pour dégager tout le sable qu'elle s'était fourré dans la bouche. Je ne viens pas au parc pour me faire des copines. Surtout des vieilles blindées d'enfants.

11 juillet

– Écris une chanson, a dit Areski. On la filme avec la célèbre webcam pourrie et on la met sur un site.

– Tu crois qu'une chanson, ça peut sauver ma mère?

Areski a réfléchi cinq minutes.

– Ça peut aider. Beaucoup de grands mouvements ont été accompagnés de grandes chansons. C'est historique.

Exactement le genre de choses dont on n'entend

jamais parler en cours. Si je m'étais doutée que les chansons, c'était de l'Histoire, je l'aurais écoutée, l'autre terreur.

— Vas-y, Monsieur Je Sais Tout. Quelles chansons?

— *La Marseille, L'Internationale, Le Temps des cerises.*

— Billy Brag, a dit Nacer. Jimi Hendrix. Zebda.

— Woody Guthrie, a dit Julien. *My guitar is a weapon.*

— Les gospels, a ajouté Areski, qui ne laisse jamais le dernier mot à personne.

— Les quoi?

— Les gospels, inculte… Tu ne connais vraiment rien à rien…

— Qui c'est qui m'en a causé, un jour, des gospels? Hein? Je dois tout deviner toute seule, des trucs dont j'ai même jamais entendu parler?

— OK. Demain, je te prête un disque.

— Trop généreux, mon prince. Je vais te la faire, ta chanson historique.

— Elle a intérêt à être bonne, si tu veux qu'elle serve à quelque chose.

— T'as plus confiance?

Le soir même, David m'a téléphoné. On ne l'avait pas entendu dans l'énumération des chansons historiques qui changent le monde. Visiblement, le pianiste n'a pas l'âme révolutionnaire. Ou alors c'est son piano qui l'encombre.

— J'ai réfléchi à ton truc. L'histoire de ta mère. Tu devrais faire un blog. Ça peut intéresser les gens. Ils entendent toujours parler des futurs chômeurs. Jamais de leurs enfants.

— Je veux bien mais je ne sais pas le faire.

— Écrire ?

— Non, faire le blog.

— C'est pourtant simple. Je peux te l'installer. Dis-moi quand je peux venir chez toi.

Venirrrr chez moi. Mon cherrrr David. Mais bien sûûûûûrrr… J'ai l'impression grisante d'être la sorcière quand elle attrape les deux autres crétins dans sa maison en pain d'épices. Cette grève, au bout du compte, c'est l'affaire du siècle. Je me sens hyper combative. Ma mère va avoir du mal à se débarrasser de moi.

12 juillet

Ce que j'aime chez David, c'est qu'il n'insiste pas pour se mettre en avant. Tout le contraire des autres qui savent tout mieux que tout le monde et qui ne pensent qu'à prendre le commandement des opérations. Avec lui, je n'ai pas besoin de me défendre sans arrêt. J'arrête d'avoir peur. Je ne me sens même pas moche.

Le blog s'appelle «AuSecoursMaman». David l'a installé sur mon ordi et il est rentré chez lui. J'avais un peu envie de pleurer quand il est parti. Je voulais qu'il reste. Seulement, je ne pouvais pas le lui dire. J'étais paralysée par la timidité. Je me suis donc contentée d'être normalement désagréable. Je lui ai dit au revoir et j'ai oublié merci. J'étais trop déstabilisée par mes sentiments. Quand je pense que je passe pour un monstre… C'est injuste et c'est triste.

13 juillet

Comme si je n'avais pas assez de boulot avec une gosse et un groupe… Maintenant, j'ai un blog. Tout ça sous prétexte que je suis en vacances.

14 juillet

Fête nationale. Prise de la Bastille et autres fariboles révolutionnaires. Ah, ah. Chez moi, c'est tous les soirs Révolution. Pas de quoi sortir lancer des confettis en se trémoussant. Bref, on a dîné à l'ordinaire (pâtes à l'ail, on fait difficilement moins cher, bravo Sophie).

— Alors? a fait Maman avec les yeux ravis de celle qui espère une blague. Tu as trouvé?

— Oui, j'ai dit et j'ai longuement trempé mon pain dans la sauce (sois bénie, Sophie).

— C'est bon, accouche, a fait Sophie.

— Ne sois pas vulgaire, a dit Maman.

Voilà une conversation qui commençait bien.

— Je vais écrire une chanson que je vais chanter. Et faire un blog. Tu peux faire circuler l'info. Si la chanson marche, elle vous fera connaître. Si le blog marche, vous pourrez trouver des soutiens.

Ma mère a regardé mon père. Mon père a regardé ma mère. Tous les deux m'ont regardée. J'ai regardé ma mère. Retour à la case départ.

— Je fais mon possible et je te tiens au courant.

— Françoise, a lancé mon père, pendant que j'y pense, rappelle-moi de reprendre ma carte au syndicat.

Ce dîner était particulièrement réussi. Rien de tel qu'une bonne soirée solidaire pour resserrer les liens entre les générations. À défaut d'avoir un amoureux, j'ai une famille. Bon, d'accord. N'empêche que je pourrais ne rien avoir du tout. Ça existe aussi.

15 juillet

 « Arrête de m'dire de travailler,
 Tu viens tout juste de te faire virer.

Et viens pas m'dire de me lever,
Tu traînes chez toi toute la journée.
Tu vaux plus un clou, Maman,
Ouvre les yeux, c'est évident.
T'es un boulet, un encombrant,
Un poids mort au pays des perdants.
T'es pas fichue d'être embauchée,
D'être au boulot, d'être payée.
T'es trop vieille, trop fatiguée,
Pas assez classe, pas diplômée.
Le monde est pourri, Maman.
Regarde-toi, c'est effrayant.
Déjà qu'y a rien pour tes enfants,
Pour toi c'est mort depuis longtemps.
Dis à ton homme de s'accrocher.
Manquerait plus qu'il se fasse licencier.
Ça va vite, de dégringoler,
Pour nous, ce sera sans filet.
Au secours, Maman, au secours,
On vit dans la cage aux vautours.
Au secours, Maman, au secours,
On est dans l'impasse sans retour.
Et compte pas sur moi pour t'aider,
J'misais sur toi pour m'pistonner.
T'es hors d'usage et j'suis larguée,

Deux nazes au milieu des paumés.
J'ai du mal à penser à l'avenir.
Demain, à c'qu'on dit, ce sera pire.
Qu'est-ce qu'on va faire, Maman, au secours
Au secours, Maman, au secours. »

J'étais assez fière. Mais tout ce que j'ai gagné, c'est de faire pleurer ma mère.

— Pardon, chérie, a-t-elle fait en reniflant dans son Sopalin. C'est une très belle chanson.

— Je l'ai écrite pour que les gens soient émus.

— C'est réussi, a remarqué Sophie. T'as rien trouvé d'un peu plus positif ?

— Du genre : « Pas de souci, j'ai trois autres emplois dans la vie » ? Non.

— Tu aurais pu parler de la grève, a dit Papa.

— Sauf que tu sais ce que j'en pense, de sa grève…

— Ça y est, a murmuré mon père (qui n'avait pas l'air mécontent). Ma fille fait de la politique, maintenant.

— Ah non, erreur. J'y connais rien en politique. Mais ça m'énerve trop que des gens qu'on ne connaît même pas enlèvent son boulot à Maman, alors qu'elle bosse pour eux depuis vingt ans…

— Trente, a dit Maman en repliant modestement son Sopalin sur ses genoux.

– Depuis trente ans, d'accord, et que de toute façon elle ne gagnait pas un rond…

– Faut pas exagérer, a fait Maman. Ce n'est pas mirobolant, mais c'est un salaire.

– Si tout le monde me contrarie sans arrêt, je n'arriverai jamais à m'expliquer! Donc, c'est trop injuste, ça m'énerve trop et personne ne m'empêchera de le dire!

– Arrête de t'exciter, a fait Sophie. On est tous du même avis, ce n'est pas la peine de crier. Tu me fais mal aux oreilles.

– C'est vrai. Mais j'ai les nerfs en bouillie. Il faut que j'aille crier sur le balcon.

J'ai ouvert la porte-fenêtre. Et j'ai hurlé:

– C'est trop injuste! On peut pas faire ça! On est des personnes humaines!

J'espérais vaguement que toutes les fenêtres de la rue s'ouvriraient et que tous les gens seraient d'accord avec moi pour crier qu'on était des personnes humaines et pas des chiens. Et qu'après on se retrouverait tous dans la rue pour discuter. Mais rien du tout. Les quelques fenêtres qui étaient ouvertes se sont refermées. «Encore une folle», voilà ce que se sont dit les voisins. «Ferme la fenêtre, pépère, on n'entend plus les infos.»

Je suis arrivée au studio d'enregistrement avec l'allure d'une fille qui vient de passer la nuit dans la rue. Une traînée de purée de carottes dégoulinait de mon col au bas de mon pantalon. Je ne l'avais pas vue avant de partir, celle-là. C'est quand même affolant de penser qu'il faut s'inspecter dix fois par jour pour vérifier que la gosse ne vous a pas couverte de bouffe. Je ne peux pas passer ma vie à me contorsionner devant un miroir. Rosette, je n'en peux plus. Il est temps que tu cesses de me cochonner de la tête aux pieds. Après un rapide passage au lavabo pour tenter (en vain) de limiter les dégâts, enregistrement. Heureusement que Blanche-Neige n'est pas fichue de chanter plus de quatre chansons correctement. Parce que, pour les quatre, on y a quand même passé l'après-midi. Les deux gars derrière la vitre n'avaient pas l'air de détester ce que nous étions en train de jouer, et Areski était de fort bonne humeur. J'adore cette impression de faire partie des professionnels de la profession qu'on a quand on joue dans un bocal. Une bien belle après-midi, pour une fille sale et révoltée.

16 juillet
J'ai lu ma chanson au groupe.

— Noir, c'est noir, a commenté Areski.

— En même temps, je n'ai jamais été très optimiste.

— L'avantage du noir, a remarqué David, est qu'on y voit entrer le soleil.

— Quand il se pointe, a fait Tom.

Tom m'énerve. Je me demande comment je fais pour arriver encore à chanter avec lui. Quand il l'ouvre, j'ai envie de lui enfoncer direct mon poing dans la gorge. J'ai regardé David en plein dans la figure et j'ai dit :

— C'est toi, mon soleil.

Depuis cette histoire de Maman, je suis à fleur de peau. N'importe quoi d'un peu solidaire me met les larmes aux yeux. Et, quand je suis émue, je peux sortir n'importe quoi. Aucune maîtrise de moi, si vous voyez ce que je veux dire. David était complètement retourné.

— Excuse, j'ai dit. Mais il ne faut pas être trop gentil avec moi. Je n'ai pas l'habitude. Après, j'ai des réactions inquiétantes.

Les nains me regardaient avec une curiosité plutôt bienveillante. Brièvement, j'ai eu le sentiment d'être transformée en Jabourdeau. Le genre qui fond en larmes à la plus petite émotion pour des raisons inconnues de tous. Je regrette de m'être moquée. Je n'avais pas compris. Jabourdeau, mon ami, mon frère.

17 juillet

Mon frère mon ami m'a prêté le DVD de son amour avec Célianthe.

— J'ai pensé que ça pouvait t'intéresser. C'est la vie d'un chanteur.

Le film s'appelle *Walk the line*. Le chanteur s'appelle Johnny Cash. Il est américain. Et mon père veut absolument voir le film. Je suis d'accord pour le lui prêter. Après tout, c'est plus sa génération que la mienne. Pour résumer l'affaire, Johnny Cash se drogue malencontreusement mais beaucoup trop. Suite à quoi, il est pénible en société et personne ne veut plus de lui. Surtout la femme adultère dont il est amoureux et qui le rejette. Mais, comme Johnny est très obstiné, il finit par la séduire (et par se débarrasser de sa vraie femme). La femme adultère l'aide à décrocher. Ensuite, ils se marient et tout va bien. En gros, c'est un film qui montre de façon convaincante que les gens s'attirent énormément d'ennuis en se droguant, alors que l'alcool tout seul suffit à pourrir la vie de n'importe qui. Par ailleurs, il s'agit d'un film sur la musique, car Johnny Cash chante, et sa femme adultère aussi. Il est même incroyablement célèbre chez les Américains, chez mon père et probablement chez Areski. Étrangement, son histoire m'a beaucoup fait penser à moi, alors que je n'ai rien à voir avec un homme qui est non seulement américain mais mort de toute façon. Spécialement le moment où il chante dans une prison. Je me suis identifiée à fond. Je me demande si un homme adultère m'aimera un jour assez pour me sortir du malheur et de la dépendance, et se marier avec moi. Qui sait ?

18 juillet

Mon père m'a acheté un disque de Johnny Cash (jeune). Je l'ai remercié.

— C'est très gentil. Mais ce n'est pas raisonnable… Tu connais la situation financière…

— Tu me laisses décider de ce qui est raisonnable et de ce qui ne l'est pas. Tu veux bien ?

— D'accord, d'accord.

— Et « merci » ?

— Ah oui. Excuse. Merci, papa.

Rosette aime beaucoup notre nouveau disque. Nous tapons ensemble sur des casseroles pour accompagner ce vieux Johnny. D'une certaine manière, on peut parler d'éducation musicale. Par ailleurs, je me demande ce qui me retient d'apprendre assez de guitare pour m'accompagner quand je chante *Au Secours, Maman*. Le chanteur solidaire se balade généralement avec sa propre guitare, pour ce que j'en sais.

19 juillet

J'ai mis ma chanson sur le blog. Après le petit texte de présentation que David m'avait aidée à écrire. Ce blog, c'est un peu comme un nichoir à oiseaux. Ou un piège à guêpes. On se demande qui va venir se fourrer dedans. Mais on espère qu'il y aura du monde.

J'ai déjà un message :

« ta oublier de metre ta foto »

Je l'ai effacé.

J'ai un autre message :

« on n'a pa bezoin d'etrenger et de bolchevik. Ta mere, elle peu ramaser les poubelle »

Étranger oui. Mais bolchevik ?

Je l'ai effacé.

23 juillet

Ma parole, il faudrait que je passe ma vie sur ce blog pour nettoyer toutes les imbécillités que laissent les maniaques. Ce sont toujours les mêmes qui s'incrustent, « Zouzou82 », « Franz666 », « MisterMac ». On dirait que je viens de leur fabriquer un parc d'attractions privé. Ils squattent à fond. Et je ne peux même pas leur dire en face ce que je pense d'eux, de leur orthographe et de leur emploi du temps. Ils se planquent derrière leurs pseudos misérables. Ça me rend dingue. Tout me rend dingue. En attendant, personne de sensé ne se donne la peine de participer. Les gens sains d'esprit sont occupés ailleurs, c'est clair.

24 juillet

Dernières nouvelles du festival. On n'aura pas besoin de passer la nuit sous la tente. La grande sœur de David se propose pour accompagner ceux que ça intéresse. Et pour les raccompagner après les festivités. Apparemment, cette personne n'imagine pas dormir ailleurs que dans son lit. David rentrera avec elle. Si bien que je n'ai plus qu'à rentrer aussi. Si c'est pour dormir entre Tom et Areski, merci bien.

Évidemment, ça arrange tout le monde, une voiture. Ces messieurs pourront prendre le train les mains libres, pendant que Mademoiselle David véhiculera frère, instruments et autres costumes de scène. À l'échelle de l'organisation, mes sentiments ne pèsent pas lourd.

25 juillet

C'est décidé. Je mettrai la robe rose. Avec la ceinture

de la rouge. Et mon panty. Et je porterai des tennis.
À force d'aller pieds nus, je vais finir électrocutée par
un câble. Et je chanterai *Au secours, Maman*. Toute
seule. Juste avec ma voix. Ils m'assomment, avec leurs
guitares et autres batteries. De toute façon, ils ne sont
pas prêts. Ils font de la compote et on n'y comprend
plus rien.

— Si tu veux, a fait Areski d'un air menaçant. Mais
tu la chantes en dernier.

— Je veux. Et, oui, je la chante en dernier.

S'il croit m'impressionner, il se fourvoie. Fourvoie. De fourvoyer. Ça existe. Je le jure. Dans le dictionnaire. Fourvoyer... Pas mal, non ?

26 juillet
De toute façon, on joue à seize heures, les premiers
d'un tas de débutants dans notre genre. On ouvre le
bal. En gros, on fait le fond sonore pour les spectateurs flippés qui bétonnent leurs places en attendant
les vrais groupes. On leur passerait une bande enregistrée, ce serait pareil. Je ne vois même pas à quoi
ça sert de se déplacer.

27 juillet
J'ai demandé à David de supprimer mon blog. Rien

qu'à l'idée de le regarder en rentrant, j'avais le cafard. Adieu MisterMac, adieu Franz666. Adieu étranges connaissances du Web. Je me demande quelles têtes vous avez, en vrai. Je me demande si vous êtes jeunes ou vieux, et à quoi vous occupez vos journées. Je n'imaginais même pas que votre existence était possible, avant que vous m'écriviez. Je ne regrette pas de savoir que vous êtes vivants quelque part, en train de tapoter sur le clavier, tels des trolls enfermés depuis des siècles dans des champignonnières.

31 juillet
Mademoiselle Sœur de David s'appelle Julie. Comme pas mal de gens. Ce qui fait qu'au début elle semble assez normale. Jusqu'à ce qu'on apprenne ce qu'elle fait dans la vie. Elle est clown. Bon. C'est un métier comme un autre. Il y a bien des gens qui font portier, standardiste ou soldat. Il en faut aussi pour faire clown. Sinon, les clowns n'existeraient pas. Par ailleurs, elle conduit normalement. Visiblement, elle a mis toute sa clownerie dans le domaine professionnel. Pour le reste, c'est sérieux sur toute la ligne. La preuve, David s'est assis à l'avant, et moi à l'arrière. Puisqu'il n'y avait rien à faire d'autre que d'être coincés dans cette bagnole, j'en ai profité pour mener

mon enquête. D'où il ressort que David a deux sœurs. Une clown et une maquilleuse. Ce qui fait en un sens que tout le monde travaille dans le spectacle, et que le maquillage est une affaire de famille. Une fort intéressante conversation au cours de laquelle j'ai été saisie de brusque somnolence. Je me suis endormie et nous sommes arrivés dans une espèce de champ sur lequel on avait installé une scène et deux spots à merguez, et voilà, c'était là. Le festival. Je n'ai pas trop regardé la tête des gens qui vaquaient ici et là. En supposant qu'ils faisaient le public, moins je les voyais, mieux je me portais. On s'est rendus à la tente des artistes, qui était juste une tente. Les autres étaient déjà là en train de boire du café. Moralité : le train va plus vite que la voiture, j'en étais sûre. J'ai cherché un coin pour enfiler ma robe rose et mes tennis. Et j'ai attendu qu'on y passe.

— Je te maquille ? a demandé David.

— Oui, a répondu sa sœur et je n'avais qu'à la boucler.

Vu que la clown faisait la loi et que ça ne rigolait pas beaucoup, j'ai été obligée de passer à l'eyeliner, qui me faisait de très beaux gros yeux de vache. Au moins, j'étais assortie au décor. La véritable Blanche-Neige champêtre. Un sandwich pâté plus tard, et quelques crampes à l'estomac, je suis montée sur scène, suivie par les garçons et sous de maigres applaudissements. Ce n'est pas que le public était absent. Il était même un peu nombreux pour moi. Mais les gens étaient globalement occupés à bavarder entre eux, à se rouler de moches petites cigarettes puantes, et à occuper le plus de terrain possible.

Je ne vais pas raconter dans le détail chaque concert que je fais (désolée, les amis, mais cette histoire de concerts, c'est un peu ma vie ces derniers temps, eh oui, moi non plus je n'y croyais pas, avant). Disons que le choix de la robe transparente était un bon calcul. Même si les gens n'avaient pas envie d'écouter, ils étaient tentés de regarder. C'est à se demander si je ne devrais pas chanter à poil. Bref, ayant capté l'attention d'un public passionné par mon panty, j'ai braillé avec cœur en fixant ce crétin de Tom droit sur la glotte. Le public a joyeusement repris le refrain de *Superman* avec nous. La chanson féministe paie donc toujours et nous avons rencontré un honnête succès. Je faisais des efforts dingues pour penser le moins possible à l'interprétation d'*Au secours, Maman,* dans l'idée toujours valable que la peur n'évite pas le danger. J'ai réussi à rester idiote jusqu'au dernier moment... Et mon heure a sonné.

J'y suis allée. Direct. Tel Johnny Cash sans autre drogue que de l'adrénaline maison label bio. J'étais partie pour chanter seule comme une ratte, quand une guitare discrète et quelques accords de clavier sont venus m'appuyer. Sans que je demande rien. Comme si les nains me soutenaient personnellement. Dans mon état de nerfs avancé, les larmes me sont montées naturellement. Et là, bingo. Rien de tel qu'une bonne larme naturelle pour améliorer une voix, c'est moche mais c'est comme ça. Grâce aux larmes solidaires, l'honnête succès s'est transformé en émotion massive, ce qui à l'heure des bières, en juillet, sur une prairie pelée, était carrément inespéré. Applaudissements. Bravos. Sourires des nains. Encouragements de la clown qui se tenait discrètement sur le côté de la scène. Saluts. Sortie de scène. Et là, une bonne femme surexcitée se jette sur moi au motif que les chansons politiques, c'est un peu son truc. Qu'elle organise des festivals et des tournées. Qu'elle veut nous embarquer, elle a déjà des dates, elle peut même nous payer, et patati et patata. Il a fallu que je lui mette un stop.

— Je vous arrête tout de suite. La politique, sincèrement, ça me passe au-dessus de la tête. Un peu comme l'histoire ou la géographie. Si vous en avez d'autres, des concerts normaux, pourquoi pas. Mais pour la politique, c'est non. Franchement. Sans vous vexer.

Elle m'a regardée comme si j'étais Algernon, et que je venais en plus de pisser dans le labyrinthe.

— Si elle n'est pas politique, ta chanson, ma chérie, je ne sais pas ce qu'elle est...

J'étais assez contente qu'elle ne sache pas certains trucs. Je lui ai expliqué :

— C'est une chanson pour ma mère.

— Ah bon, a-t-elle fait.

Je lui avais claqué le beignet, clairement. J'en ai profité pour filer me réfugier dans la tente des artistes. Ras le bol que les gens reluquent mon panty.

— Qu'est-ce qu'elle voulait ? m'a demandé Areski.

— Nous prendre dans des sortes de concerts politiques, cette folle, j'ai dit non, bien sûr.

Il a écarquillé les yeux. Symptôme d'Algernon, le retour.

— Ras le bol d'être le manager d'une tarée.

Il s'est immédiatement lancé sur la piste de la bonne femme. Je ne pensais pas que ça l'intéressait tellement, la politique, celui-là. En tout cas, s'il y va, ce sera sans moi. J'ai mes propres opinions. Je ne suis pas sa poupée.

Par la suite, j'étais un peu sonnée. Je suis restée scotchée à la pelouse, sans m'intéresser une seconde aux autres groupes qui étaient dans l'ensemble tonitruants et mal habillés. La nuit est tombée et l'heure de la voiture est arrivée.

— J'ai trois places, a dit Julie la Clown. Et je pars maintenant.

David s'est levé, et puis moi, et puis Nacer, qui a regardé les autres comme pour s'excuser :

— J'ai entraînement de hockey demain matin.

On a pris les instruments qui pesaient douze tonnes et on a rejoint la bagnole au bord du pré. Nacer a eu le bon goût d'avouer qu'il était malade en voiture, ce qui lui a immédiatement valu la place à côté de la conductrice. David et moi sommes montés à l'arrière. Là, il n'y a eu besoin d'aucune stratégie d'aucune sorte. Je me suis ratatinée contre lui et il a passé le bras autour de mes épaules.

— Je croyais que tu sortais avec Tom, a-t-il chuchoté.

— T'es tombé sur la tête ou quoi ?

Et voilà, on était fiancés sans avoir même à s'embrasser.

Quand Julie s'est arrêtée devant la porte de mon immeuble, elle s'est retournée vers son frère.

— Tu descends avec Aurore ou je te ramène à la maison?

David m'a regardée. Mon cœur s'est arrêté de battre pendant une bonne dizaine de secondes (phénomène connu), mais j'ai gardé toutes mes facultés de jugement (le cerveau survit quelques minutes).

— Franchement, j'ai dit, ça craint. Je ne peux pas te garantir la tête que feront mes parents demain.

— Je comprends.

— Je ne sais pas si tu comprends vraiment parce que la tête de mes parents au petit déjeuner, ça ne se comprend pas, ça se voit.

— Je rentre avec toi, a-t-il lancé à sa sœur.

— À bientôt, Aurore, a dit Julie quand je suis descendue.

— À bientôt, a ronronné Nacer, qui dormait à moitié.

David est descendu pour ouvrir le coffre. Il m'a tendu le sac dans lequel j'avais plié ma robe et ma ceinture.

— On ne s'est même pas embrassés, a-t-il remarqué.

— Dans le rétro de ta sœur, tu m'étonnes.

— Je t'appelle demain.

— Je t'appelle demain.

Je suis entrée dans l'immeuble et j'ai entendu la voiture démarrer. J'étais à la fois épuisée et surexcitée. J'avais l'impression d'avoir un bataillon de mouches dans la tête. L'amour, probablement.

AOÛT

Péripéties rurales et nocturnes

1er août

Ma mère est tellement flippée qu'elle ne veut pas prendre de vacances. Même une semaine.

— J'aurai tout le temps de ne rien faire quand je serai virée.

Elle a une façon de dire ça au petit déjeuner avec un sourire courageux qui donne envie de lui balancer des claques. Madame Je-Prends-Sur-Moi-À-Fond-Avec-Mon-Sourire-Miné. Comme s'il y avait de quoi rigoler. Si elle croit que je la crois, elle et son air décontracté, elle me prend pour une brelle. Quant à mon père, il la joue solidaire à fond, ce qui fait qu'il se passera de vacances, ou alors qu'il les prendra plus tard, à la saint Glinglin. L'été sera sans vacances familiales. Je traduis : sans voyage pénible, sinistre location, ennui compact, rencontres minables. Comme quoi il n'y a pas que des désavantages dans la mouise. D'un certain point de vue.

1ᵉʳ août, plus tard

Je me suis gourée de point de vue. *One more time*. Je n'avais pas repéré le gros, très gros, très très gros dés- avantage qu'il y a à rester sur zone tout le mois d'août. JE SUIS TOUTE SEULE. Toute seule avec mes parents, ce qui est juste pire que toute seule. Ils se sont tous arrangés pour mettre les voiles. Même Areski a donné son congé. Il fait moniteur de colo. À la montagne. Je plains les gosses. J'ai bien pensé à me coller à mes grands-parents. Malheureusement, Sophie y avait pensé avant moi. Elle a tout organisé dans mon dos. Mamie emmène son vieux mari et ma jeune sœur en Hollande visiter les tulipes. Ils habite- ront dans la maison d'une bonne femme qui viendra s'installer dans la leur. Si elle dort dans ma chambre, je la tue.

— Tu es la bienvenue, ma chérie, m'a dit Mamie quand elle m'a annoncé la nouvelle (ce n'est pas Sophie qui aurait eu le courage de manger le mor- ceau). La maison est bien assez grande pour quatre.

— La Hollande… Pourquoi pas le pôle Nord ? Pas question.

— C'est tout ?

— Ah non. Excuse. Merci quand même. Pour la proposition.

C'est fou ce ma grand-mère est à cheval sur le savoir-vivre. Elle devrait faire un manuel. Que tout le monde en profite.

Comble de misère, mon emploi bénévole est supprimé. Jessica part avec Vladouch et ma filleule Rosette visiter la famille de Vladouch. En Russie. Non, en Hongrie. Non, en Pologne. Non, zut, je ne sais plus. Au pays. Là-bas. Eux, ils n'ont même pas fait l'effort de m'inviter. Je ne suis pas assez bien pour la famille, sans doute. Ils sont bêtes parce que j'aurais dit non.

Je n'ai plus qu'à écrire des chansons sur ma solitude. En un mois, j'ai de quoi remplir tout l'album.

1er août, toujours

On est déjà demain après-midi. David ne m'a pas appelée. Il s'en fiche complètement. Il a juste passé son bras autour de moi parce qu'il ne savait pas où le ranger. Je lui ai servi de porte-bras toute la route. Et je me suis monté la tête comme une imbécile. Appelez-moi Charlie, c'est tout ce que je mérite. Résultat, je passe la journée à écrire mon journal. Voilà pourquoi les gens écrivent. Parce qu'ils sont désespérés. Quelqu'un de sain d'esprit et qui a quelque chose à faire de sa vie ne passe pas son temps à écrire. Écrire, le passe-temps des *no life*.

Je devrais dormir un peu. Au moins, quand on dort, on fait des rêves.

Même pas moyen de roupiller tranquille. Ma mère me réveille sous n'importe quel prétexte.

— Aurore, c'est pour toi!

Plus personne en ville et les gens trouvent encore le moyen de vous traquer au téléphone. C'est à se taper la tête contre les murs. Voilà ce que je pensais en titubant dans le couloir, avant de me coller le combiné à l'oreille et d'entendre la voix de David:

— Pourquoi tu ne m'as pas téléphoné?

Incroyable. Des reproches maintenant.

— Parce que je passe ma vie à attendre que tu m'appelles.

— Tu devais m'appeler.

— Ou toi.

— Oui, mais pourquoi pas toi?

— Parce que je n'étais pas sûr. Je ne voulais pas être lourd.

— Parce que, moi, je suis sûre? Moi, je n'ai pas peur d'être lourde?

— On est pareils, tous les deux.

— Ne dis pas ça.

— Pourquoi?

— Ça me fait peur.

Dans le genre «parler sans arrêt pour ne rien dire d'intéressant», j'avoue qu'il y a de la ressemblance.

— David, j'ai dit, on avait un truc à finir ensemble. Quand est-ce qu'on se voit?

Silence. Je répète:

— Quand est-ce qu'on se voit?

Petite toux. Je répète:

— Quand?

Voix minuscule:

— Je pars en vacances. Demain. Avec Julie. Chez une amie à elle. Qui a une grande maison. À la campagne.

— Pas grave. On s'embrassera en septembre. Si aucun de nous deux n'a oublié.

— Je voulais te demander un truc...

— Vu comme c'est parti, la réponse est non. Mais vas-y tout de même.

— Tu ne veux pas venir avec nous?

— T'es malade? Et mes parents? Qu'est-ce qu'ils vont dire?

— Julie va les appeler. Ils diront oui. Et toi, tu dis quoi?

J'ai dit, ne bouge pas, je prends ma valise et j'arrive, ta sœur arrangera les détails, à tout de suite, mon cœur.

4 août

Pour une clown, Julie se débrouille bien. Mes parents n'en reviennent pas d'être débarrassés de moi pendant quinze jours. Ils sont incroyablement CONTENTS. On dirait que je suis un boulet. Honnêtement, d'eux ou de moi, je me demande qui est le plus gros boulet pour l'autre. Bref, à les écouter, quinze jours, c'est même un peu court. On leur aurait demandé six mois, ils auraient donné six mois. Si on habitait le désert, ils m'auraient déjà fourguée en mariage contre n'importe quel vieux chameau.

6 août

Trois heures de route. David à l'avant, à côté de Julie. Et moi à l'arrière, à côté des valises. Ce type, je ne l'embrasserai jamais. J'ai quinze jours pour me faire une raison.

Pour la campagne, c'est la campagne. Un désert avec des arbres. Et une grande maison au milieu. Très grande. Pas très haute, mais grande. Elle se plie en trois comme une carte postale extra-large. Deux petits bouts de chaque côté et un gros bout au milieu. L'amie de Julie s'appelle Arielle, elle est grande, avec de grandes mains et de grands cheveux. Elle a un mari, assez grand mais moins qu'elle, et deux enfants assortis. Pour s'entourer, elle a rassemblé autour d'elle des tas d'amis qui sont ses copies assez bien imitées, tous grands avec de grandes mains et des enfants assortis. Ils lui obéissent tous admirablement car elle est naturellement cheffe du monde, reine de la cuisine et propriétaire de la maison. Tous les amis sont très polis, très bien élevés, très bien habillés, et ils parlent comme dans les livres. J'ai l'impression angoissante d'être le détail qui cloche. La naine mal embouchée, si vous voyez ce que je veux dire.

L'amie de Julie nous a donné nos chambres. La mienne est tout au bout du petit bout à droite. Celle de David tout au bout du petit bout à gauche. Entre nous, il y a seulement toutes les pièces de toute la maison. Merci, merveilleux amis. Comme ça, on ne risque pas de se tromper de porte.

7 *août*

On est arrivés hier au milieu de l'après-midi et je n'ai pas réussi à voir David seule à seul cinq minutes. Il y a des gens absolument partout dans cette baraque. Et quand ce ne sont pas eux, ce sont leurs gosses. À table, nous sommes séparés. Amusant, non? Les merveilleux amis espèrent peut-être qu'on va surveiller leurs enfants. Personnellement, je ne surveille rien du tout. Si les gens ne sont pas fichus de s'occuper de leurs mioches, ils n'avaient qu'à éviter d'en faire. Personne n'est obligé. Je ne suis pas responsable universelle des erreurs des autres. Après dîner, il faut se taper la vaisselle dans une ambiance amicale et polie. Suite à quoi tout le monde se dit aimablement bonsoir bonsoir bonsoir, et chacun s'en va vers sa chambre. Poum poum poum. J'ai lancé un regard déchirant à David et je suis partie vers la mienne. Impossible de s'enfuir, on est au milieu de nulle part. Ma fenêtre donne sur une sorte d'arbre miteux planté au milieu d'une prairie. Si ça continue, demain je pourrai toujours me pendre. Bonne nuit, cher journal. C'est peut-être la dernière que je passe sur cette Terre.

8 août

Les pages de ce journal sont frappées du sceau du secret éternel. Quiconque les lit sans mon accord (accord que je ne donnerai à personne, soit dit en passant), qu'il soit maudit. Je pourrais aussi me passer d'écrire ce que je ne veux pas qu'on lise, mais c'est plus fort que moi. Si je ne le raconte pas, j'étouffe. Bon, bref, il n'est plus question de se pendre à cet arbre ridicule, d'ailleurs les branches sont minables, sans compter que je n'ai pas de corde. Par ailleurs, je ne suis pas du genre à me pendre à quoi que ce soit, je ne suis pas une cloche.

J'étais en train de m'endormir en plein désespoir de solitude quand la porte de ma chambre s'est entrouverte doucement.

– Hé, j'ai dit, hé! Vous êtes en train de vous tromper de chambre!

J'ai remonté ma couverture jusqu'à mon cou. Je ne tiens pas à ce que n'importe qui voie mon pyjama.

– Chttt... Chttt...

– Quoi, chut? Pas chut du tout, c'est ma chambre!

– Aurore... C'est moi...

David! Bon sang, David! Je me suis assise sur mon lit en oubliant complètement de cacher mon pyjama, j'ai allumé la lampe de chevet, et c'était bien David, devant moi, dans mon champ de vision. David lui-même en train de refermer la porte.

– David!

– Éteins! On va voir la lumière sous ta porte...

J'ai obéi, je n'étais pas vraiment en état de faire la maligne. Et David est venu se glisser dans mon lit. Je vais vous la réécrire puisque vous insistez: David est venu se glisser dans mon lit. Mon lit à moi. Mon lit, quoi.

— Il y avait ce truc, a murmuré David, ce truc qu'on devait faire, tu te souviens?

— Je me souviens, oui. Ce serait bien de le faire maintenant. On serait débarrassés.

— Oui, a dit David.

Et là, nos porte-bras se sont mis en marche très naturellement. Nous nous sommes agrippés l'un à l'autre et nous nous sommes embrassés. Maintenant, je vais dire un truc: dans la vie, il y a embrasser et embrasser. Il y a embrasser Marceau, ou Julien, et compter les secondes jusqu'au ce que le baiser soit terminé, cinq quatre trois deux un zéro... Respire. Et puis il y a embrasser David, tout le temps existant se ramasse dans le baiser, se confond à lui, et c'est juste l'éternité (curieusement, la question de la respiration ne se pose plus). Le mystère est que les deux opérations portent le même nom, et ont l'air de se dérouler à peu près de la même façon. Sauf que rien à voir. Nous étions donc dans le rien à voir tous les deux jusqu'au cou quand nous nous sommes éloignés l'un de l'autre (de six centimètres environ).

— Alors? j'ai dit (pour faire la maligne).

— Encore, a dit David. (Il faisait le malin.) Pour voir.

C'était assez drôle parce que nous étions dans le

noir complet. Nous avons recommencé un certain nombre de fois, l'affaire des porte-bras et des baisers, l'éternité a duré des heures et enfin David m'a dit:

— Je vais rentrer dans ma chambre.

— Pourquoi? Ça ne t'intéresse plus?

— Si Arielle nous a filé ces chambres, c'est pour empêcher ce qui est en train de se passer. Je n'ai pas envie de me faire choper. Ça va faire des histoires.

— Très bien. Va-t'en. Mais je vais avoir du mal à dormir, maintenant.

— Et moi? Tu crois quoi?

Il s'est glissé hors du lit et il est parti comme il était venu. La porte qui s'ouvre et se referme doucement, le pas glissant dans la nuit du couloir. Je me suis retrouvée avec un rayon de lune, l'ombre de l'arbre sur mon lit, et la pensée de David partout dans ma tête et dans mon corps. J'ai pensé: «Jamais je n'arriverai à dormir.» Et je me suis endormie comme une brique.

Ce matin, quand j'ai ouvert les yeux, la lumière était grise, il pleuvait sur la prairie et des centaines d'enfants surexcités traînaient des camions en fer devant ma porte. J'ai jeté un coup d'œil à ma montre. Sept heures et demie. Atroce. J'ai remis mon oreiller sur ma tête mais les camions faisaient toujours un bruit terrible. C'était sans espoir. Je me suis levée. Je me suis regardée dans la glace. J'avais l'air d'une chose chiffonnée qu'on vient de sortir d'un tiroir. J'ai enfilé des vêtements (pas question de montrer mon pyjama) et je suis sortie dans le couloir. Trop tard. Les gosses avaient déjà détalé. Partis réveiller l'aile gauche de la maison, sans doute. J'ai crié dans le couloir vide.

– Attendez que j'en attrape un ! Vous allez voir ! Je l'écorche et je le bouffe !

Ensuite, je me suis dirigée vers la cuisine. J'ai pensé que je me rapprochais du côté de David et un grand frisson m'a traversé le dos de haut en bas. C'était peut-être de l'amour. Ou alors un début de grippe. Difficile à dire.

Dans la cuisine, il y avait Arielle entourée de quelques-uns de ses merveilleux amis, déjà embarqués dans une merveilleuse conversation. Ça parlait de cinéma en glougloutant. Génial bla bla bla, écrasant bla bla bla, magistral bla bla bla. Écœurant. Qu'ils parlent de bouffe, de cinéma, de vêtements, de livres, de sport, de gens, ça sonne toujours pareil. Il y en a un qui lance le nom de quelqu'un ou le titre de quelque chose, et hop, on glougloute en chœur. Même pas la peine de se poser une question. De toute façon, ils connaissent tous les mêmes trucs et ils sont tous bien bien d'accord bla bla bla. Et ça s'appelle une conversation. Véridique.

Ils ont à peine tourné la tête quand je suis entrée. OK. Je suis repartie vers ma chambre. Personne ne s'est aperçu que je n'étais plus là. Ou alors tout le monde s'en est aperçu et c'était pareil. À vous dégoûter d'être une personne humaine. Je reste dans mon lit. J'attends que David vienne me chercher. Après tout, c'est quand même sa faute si je suis dans cette maison pourrie, au milieu de ces gens inhumains.

9 août

— Je ne vais jamais tenir quinze jours. (Moi.)

— Sauf que quinze jours, c'est quinze nuits. Réfléchis. (Lui.)

— Moins deux. Réfléchis toi-même. J'aime pas les gens.

— Moi non plus.

— Mais alors pourquoi ?

— C'est à cause de ma sœur.

— Elle les aime, ta sœur ?

— Pas spécialement. Mais Arielle lui prête la grange derrière la maison. Elle peut répéter toute la journée. En plus, c'est la campagne.

— J'aime pas la campagne. Qu'est-ce que je vais faire ?

— On va trouver des vélos. On ira à la piscine.

— À la piscine ? En vélo ? T'es pas bien ou quoi ? Il pleut, je te signale.

— On se promènera. On ramassera des plantes pour faire des herbiers.

— Des quoi ?

— Il y a un piano dans le salon. On peut faire de la musique.

— C'est plus des vacances.

— Tant mieux. Au moins, avec la musique, on a l'impression de faire quelque chose.

— C'est vrai. Tout ce que tu dis est vrai. Tu ne trouves pas qu'on s'entend très bien ?

On s'entendait même tellement très bien que j'étais presque évanouie de joie, rien qu'à le regarder parler. J'avais affreusement envie de travailler avec lui. D'être son porte-bras. De lui donner tous mes baisers de réserve. De n'importe quoi pourvu que ce soit avec lui. Et même de rester quatorze jours chez Arielle, sous son commandement et dans ses dépendances. J'allais poser la main sur son bras béni pour lui faire comprendre ma pensée quand la horde de nuisibles a déboulé dans la chambre en hurlant.

— Tu veux jouer ? Tu veux jouer ? Tu veux jouer ?

Ils se croyaient très forts mais, moi aussi, je suis capable de hurler.

— Personne ne vous a appris à frapper avant d'entrer ? Vous avez tous les droits ou quoi ? Qui c'est qui vous a élevés, bande de malpolis ?

Ils sont restés scotchés devant la puissance de ma voix. Jusqu'à ce que David se penche vers eux.

— Elle a horreur des enfants. Elle les déteste. Elle ne peut pas les supporter. Et en plus, elle n'a pas pris son petit déjeuner. À votre place, je me dépêcherais de partir avant qu'elle se fâche pour de bon.

Les gosses ont filé comme une colonie de blattes. Retrouver les parents probablement. Dans la cuisine sûrement. Où il fallait bien aller maintenant si on ne voulait pas crever de faim. Ces vacances, c'est *Survival*. Normalement, on devrait finir par bouffer les chenilles du jardin. C'est prévu dans le scénario.

10 *août*

J'ai proposé à David qu'on travaille sur la nouvelle chanson. On est allés au salon et on s'est assis au piano.

— Je dis le titre : *Les Vacances*.

— Ça promet, a dit David. Attends, je vais fermer la porte.

— Laisse tomber. Personne ne nous écoute. Personne ne nous regarde. Ils n'en ont rien à battre. Ils ne savent même pas comment je m'appelle.

— Arrête d'être parano. Ils ne t'en veulent pas personnellement...

— Justement. J'aimerais bien qu'ils me regardent assez pour me trouver personnellement atroce. Au moins, j'aurais l'impression d'exister. Là, c'est comme si j'étais transparente. La non-personne absolue. Allez, je te lis :

« T'as une belle maison, c'est sympa de m'inviter
De m'prêter une chambre, de m'donner à manger
T'as de beaux amis, j'suis fière d'les fréquenter
Une fille comme moi, j'devrais m'sentir flattée.
Merci, pardon, j'voudrais pas déranger
M'retrouver avec vous, c'était inespéré.
Vous êtes tellement polis, vous êtes si bien élevés,
Vous parlez tellement bien, vous êtes si bien sapés.
Vous avez trop de classe, vous êtes trop distingués,
J'vais me tenir à carreau, j'voudrais pas tout gâcher.
C'est dingue que tu m'invites, j'me sens super flattée.
T'as vraiment de la classe et t'es super jolie.
T'as fait les bonnes écoles, choisi les bons amis,
Touché le bon boulot, trouvé le bon mari,
T'as vingt sur vingt partout, c'est fou, tu réussis

Tout ce que tu fais, c'est comme ça, c'est la vie.
J'suis morte d'admiration, mais crois pas que j't'envie.
Chacun sa place et pas de jaloux, c'est ce qu'on dit,
J'connais la mienne, c'est l'strapontin merdique à côté de
 la sortie.
L'avantage en un sens, c'est qu'j'serai plus vite partie.
Les vacances avec toi, ce sera pas infini,
J'vais retourner dans mon monde, très bientôt, c'est
 promis.
J'voulais dire : t'es trop cool de m'avoir accueillie
Tu l'as fait pas exprès, mais quand même, j'te remercie
T'es une fille exigeante, tu m'as beaucoup appris.
Grâce à toi, j'sais maintenant où sont mes vrais ennemis. »

– J'ai bien fait de fermer la porte, a remarqué David en tapotant sur le piano. On va travailler pour que ça ressemble à quelque chose, ton truc. Il y a du boulot.

11 août

Les choses s'arrangent. On a le droit de faire de la musique et d'occuper le salon dont personne ne veut parce qu'il sent le moisi et que la télé est dans la salle de séjour. Apparemment, la musique est une activité tolérée par Arielle et sa cour. Ils aiment l'art, c'est un peu leur truc, l'art et les artistes, question de niveau de vie, je suppose. Donc on peut fermer la porte et jouer tranquillement au porte-bras une bonne partie de la journée. Merci l'art. Tout à l'heure, Julie la clown nous a fait atelier. Comme elle s'ennuie autant que nous, elle a décidé de m'entraîner. Ça la change de son travail et ça lui évite les activités collectives.

– Je t'ai vue sur scène. Tu te balances comme un culbuto autour du batteur. C'est faible. Je vais t'exercer. Dans dix jours, tu seras une bête de scène.

On est allés dans la grange, on s'est coiffés, on s'est maquillés et on a fait des tas d'exercices ridicules. On s'est roulés par terre, on a crié, on a fait des grimaces, on a imité des animaux. On a bien rigolé. On a même tellement bien rigolé que les parents ont essayé de nous coller leurs enfants. Mais Julie a dit que, si elle était obligée de faire animatrice, elle reprenait sa bagnole et elle rentrait à Paris. Elle n'avait pas l'air commode, j'aime autant le préciser.

– Je ne suis pas là pour m'amuser. Je travaille.

Les parents la détestent à fond et elle ne sera plus jamais réinvitée, c'est clair. Elle s'en fiche complètement.

– L'année prochaine, je serai en tournée.

Après la musique et la scène, on a loyalement participé aux épluchages de légumes et autres essuyages de vaisselle, en essayant de ne pas entendre les conversations. Mais c'était difficile de sortir complè-tement du champ d'intervention d'Arielle. Elle nous tombait dessus toutes les cinq minutes.

— Mais ?! Ce n'est pas comme ça qu'on fait... Attends, je te montre !

Et tout le monde apprenait à peler une patate, à faire une mayonnaise ou à rincer un verre. Ensuite, les mêmes tout le monde ont glissé des sous dans une enveloppe pour les courses. J'ai mis tout l'argent que m'avait donné ma mère. Je suis ruinée. J'espère qu'il n'y aura pas de sortie payante. J'ai moyennement envie de faire la pauvre et d'emprunter à Julie. J'ai ma dignité. Par chance, il pleut sans arrêt. Les adultes jouent aux cartes en parlant de choses intelligentes et culturelles, et les enfants chassent les escargots sous la flotte en braillant. Plombant mais pas cher. Et moi, j'attends la nuit.

13 août

La deuxième nuit, David est venu dans ma chambre. La troisième, je suis allée dans la sienne. La qua-trième, il est venu dans la mienne. Et la cinquième, on est restés chacun chez soi. On s'est endormis. Parce que le vrai problème, c'est de rester éveillé en attendant que toutes les lampes soient éteintes et que tous les habitants roupillent. Très dur, surtout après un certain nombre de nuits passablement raccourcies. La sixième nuit, on s'est endormis dans le même lit C'était un peu la panique au réveil. Mais les parents étaient tellement occupés par leurs gosses que personne n'a remarqué David quand il est sorti de ma chambre. Les nuits passent et se ressemblent, et tant mieux. Je suis devenue ce genre de fille atroce qui veux juste que rien ne change jamais. La toujours contente. La souriante perpétuelle. La gourde absolue. Par ailleurs, je n'ai plus trop le temps d'écrire dans ce journal. À quoi ça sert un journal, je me demande, sans compter que j'ai ma pudeur.

14 août

J'ai fait des progrès en clownerie. Côté chanson en revanche, on rame. D'un point de vue général, je suis exténuée. On ne peut pas tout faire. L'amour, ça prend la tête.

Oh, j'adore ce garçon. Il me raconte ses histoires de quand il était petit, et moi je fais pareil. Il faut vraiment être fou d'amour pour écouter quelqu'un vous raconter pendant des heures ses souvenirs de Noël de quand il avait quatre ans. Normalement, on devrait en avoir super marre et le jeter hors du lit au bout de dix minutes. Mais non. Tout ce que je trouve à dire, c'est :

— Et le Noël de tes cinq ans ?

Et je le couvre de baisers. C'est la première fois de ma vie que je m'intéresse tellement à une autre personne. Que je m'intéresse passionnément. Ça m'épuise. J'ai des cernes jusqu'aux genoux.

15 août

— Un jour, a dit David, il faudra bien qu'on le fasse pour de bon.

— Un jour, j'ai dit, mais pas ce soir.

— Non, pas ce soir. Mais un jour.

— Un jour, j'ai dit. C'est pas l'urgence. Après, ce ne sera plus jamais pareil. J'aime bien quand c'est comme ça.

— Moi aussi, j'aime bien, a dit David. Qu'est-ce que tu veux dire par « comme ça » ?

— Comme c'est maintenant.

— D'accord. Comment c'est, « maintenant » ?

— Les caresses, les baisers, les souvenirs, la nuit qui dure et ne pas dormir. Attendre sans attendre.

— Attendre sans attendre. C'est bien, ça sonne. Tu ne veux pas faire une chanson ?

— Tu penses tout le temps à la musique ?

— C'est toi qui parles en musique.

— Un jour, j'ai dit, quand on sera tranquilles et sûrs de nous, il faudra vraiment qu'on le fasse pour de bon.

— Un jour, a dit David. Mais pas ce soir.

Je ne dis jamais à David que je l'aime. Il ne dit jamais qu'il m'aime. J'ai mon honneur. Il a bien le droit d'avoir le sien.

16 août

— Aurore ? Tu m'aimes ?

— Je ne peux pas le dire.

— Alors tu ne m'aimes pas.

— Si, je t'aime mais je ne peux pas te le dire.

— Qu'est-ce que tu ne peux pas dire ?

— Je ne peux pas dire «Je t'aime». Je peux t'aimer mais je ne peux pas te dire «Je t'aime». Ça craint. Je ne suis pas une actrice, ou une chanteuse, ou n'importe quoi de minable qui dit «Je t'aime, je t'aime, mon amour». Je suis Charlie. Dans *Algernon*. Rappelle-toi.

— Alors écoute, Charlie. Moi je vais le dire : Je t'aime.

— Tais-toi ! Je ne peux pas entendre ça ! Ça me rend dingue !

— Tu es dingue.

— C'est bien ce que je te dis. Je suis dingue, je ne dis pas Je t'aime, et c'est comme ça.

— Pas grave. Je le dis pour deux. Je t'aime. Je t'aime.

— Je vais te taper.

— Vas-y. Essaie.

Je l'aime, c'est dingue.

17 août

Julie veut partir. Elle s'est assez entraînée dans sa grange. Surtout, elle ne supporte plus la pluie, les conversations, le sauté de veau et les parties de rami.

— Il vaut mieux qu'on s'en aille. Si je reste, je vais être désagréable.

— Mais tu es déjà désagréable. Demande à Arielle ce qu'elle en pense.

— Ça sera pire. Il arrive toujours un moment où je ne peux plus me contrôler.

— C'est vrai, a confirmé David en hochant la tête.

— Mais alors ? j'ai demandé. Les quatre nuits qui restent ?

— Qu'est-ce que c'est cette histoire de nuits ? a demandé Julie en regardant son frère.

— Rien, a fait David

— C'est ça, a dit Julie, rien, bien sûr, rien... Prends-moi pour une imbécile. Allez, on rentre. Arielle sera trop contente de nous voir partir. Je vais la prévenir.

Et c'est exactement ce qu'elle a fait. Deux heures plus tard, les valises étaient bouclées, les draps dans la machine à laver, les adieux expédiés, et nous trois dans la voiture.

— Bon débarras, a dit Julie en cherchant les essuie-glaces sous le volant.

J'ai regardé David, puis j'ai regardé la maison, et j'ai eu envie de pleurer. Une baraque que je déteste. Pleine de gens que je déteste. Dans la campagne que je déteste. Et je trouve encore le moyen de pleurni-cher. C'est nul.

20 août
  « Attendre sans attendre
  Se suspendre
  Dans le plus que parfait
  Habiter l'éternité.
  Attendre sans attendre
  Se surprendre
  Sans espoir ni regret
  Ni futur ni passé.
  Attendre sans attendre

À tout prendre
Ne jamais se lasser
Juste recommencer
D'attendre sans attendre
D'attendre sans attendre. »

21 août

Je me réveille. Si David n'a pas appelé quand j'ai fini le petit déjeuner, c'est moi qui l'appelle. Ensuite, je vais chez lui, ou il vient chez moi, ou nous nous donnons un rendez-vous pour faire des trucs, genre boire une limonade du côté de chez lui ou boire une limonade du côté de chez moi. Personne pour nous embêter. Ils sont encore tous en vacances. Nous sommes seuls au monde au milieu de millions de personnes inconnues sans compter les chômeurs. Quelquefois nous allons au cinéma. Quelquefois nous allons voir Julie répéter. Quelquefois nous faisons de la musique. David a piqué la vieille guitare de ses sœurs, on apprend tous les deux. Vu qu'il a deux cents prix de l'école de musique, il est deux cents fois plus rapide que moi. Ça m'est égal. En guitare, on a toujours besoin d'un guitariste vraiment rapide et d'un autre vraiment bruyant. Je ferai l'autre. Les vacances. La belle vie, quoi.

Mes parents ont remarqué quelque chose. La preuve : ils ne me posent aucune question sur David. Ils font comme si tout était normal. Comme s'il faisait partie de la famille. C'est dingue. Ils feraient pareil avec n'importe quel imbécile sous prétexte que je le ramène chez nous. Ils pourraient faire au moins semblant de s'intéresser sincèrement à lui. À la fin, c'est vexant.

Par chance, Sophie n'est pas là. Apparemment, elle est installée dans une tulipe au milieu d'un polder. Qu'elle y reste.

25 août

— Tu vas toujours au travail ?

— Comme tu vois.

— Je croyais qu'ils te licenciaient ?

— Ils vont le faire.

— Et toi, tu y vas toujours ? Ma parole, on pourrait te marcher dessus, ce serait pareil.

— Si je veux être payée jusqu'au bout, il faut bien que j'y aille jusqu'au bout.

— C'est gai.

— On organise un rassemblement. Avec les copains. Devant les bureaux. On va mettre des banderoles.

— Arrête. Tu me fais peur.

— Viens nous soutenir, au lieu de faire la maligne.

— À part crever de chaud sous ta banderole, qu'est-ce qu'on fera ?

— On sera tous ensemble. Tu n'as qu'à passer chanter ma chanson. Avec David.

— Comment tu sais qu'il s'appelle David ?

— Il ne s'appelle pas David ?

— Si. Je me demande juste comment tu le sais.

— J'entends son nom cinquante fois par jour. Excuse-moi d'avoir des oreilles.

— Je t'excuse. Tu sais qu'on sort ensemble ?

— Non ? Sans blague ?

Elle m'a éclaté de rire au nez. Elle m'énerve. Elle m'énerve. Je vais y aller, à son rassemblement. Ça lui apprendra.

SEPTEMBRE
La fille qui n'avait qu'une vie

1er septembre

Même en ramenant leurs familles et leurs amis, les copains n'étaient pas très nombreux. Assez pour faire une fête, à la rigueur. Mais pas de quoi impressionner la rue. Ils avaient tendu leur banderole sur la grille d'entrée. Quelqu'un s'était donné du mal pour peindre en grandes lettres à peu près droites «Travailleurs jetables en colère». Et, sans blague, ils avaient l'air super jetables, rassemblés là-dessous, les manches relevées, à crever de chaud dans l'après-midi, au milieu de l'indifférence générale. Ils étaient plantés sur leur trottoir comme au milieu de nulle part et personne ne s'arrêtait pour leur parler. On voyait même des gens changer de trottoir pour ne pas avoir à les frôler de trop près. Des fois que le chômage serait contagieux. Les gens, ma parole, c'est chacun pour soi. Que chacun se noie tout seul dans son puits et les vaches seront bien gardées. J'étais un peu énervée qu'on ait l'air si minables, nous les travailleurs jetables et leurs familles, juste une bande de paumés tassés sous leur banderole comme une vieille Armée du Salut sans uniformes. Mais il suffisait de rentrer à l'intérieur du groupe pour que l'ambiance s'améliore. Les copains étaient super contents de voir n'importe qui arriver pour les soutenir. Ils serraient les mains avec des yeux mouillés de gratitude.

— Merci d'être venue, m'a dit un vieux collègue de ma mère en chevrotant vaguement. Ça fait plaisir de voir des jeunes.

Il avait l'air tellement ému que j'ai eu envie de lui hurler dessus.

— Pas de quoi, j'ai crié. Ma mère aussi, elle est virée.

— Alors c'est toi, la fille de Françoise? Celle qui fait des chansons?

En même temps, vu que j'avais un étui de guitare dans le dos, et que j'étais accompagnée d'un garçon qui portait lui-même un petit ampli, ce n'était pas très difficile à deviner.

— Bonjour, a dit David en lui tendant la main. Personnellement, je n'ai aucun parent de viré dans l'affaire. Mais je suis très heureux d'être ici avec vous.

— C'est bien, mon gars, a répondu le type. Le jour où ce sera ton tour de tendre ta banderole, tu peux compter sur moi. Tout le monde a son tour de banderoles dans la vie, tu verras. Et quand le jour arrive, on est content de ne pas se retrouver tout seul en dessous. On m'a dit que vous alliez nous chanter une petite chanson?

J'ai vu le moment où nous allions nous mettre à beugler tous les deux comme deux pauvres punks qui font la manche devant un centre commercial, avec leur chien accroché par une ficelle à l'ampli. Au moins, les gens auraient une bonne raison de changer de trottoir. C'est là que j'ai compris que j'avais au moins appris une chose cette année : étant donné qu'à force de penser des trucs inhibants on finit par être inhibé, le mieux est d'arrêter de penser. Et de foncer dans le tas.

— David, on s'installe où?

— Par ici, ma grande, m'a dit le collègue de ma mère.

Il a écarté quelques copains et nous a fait une petite place sous la banderole, bien au milieu, sous le mot « jetables ». David a installé son ampli et il a passé la bandoulière de la guitare. Comme je ne suis pas encore très au point, ni sur les accords, ni sur le rythme, ni sur rien, on a décidé qu'une seule guitare suffirait. Qu'il valait mieux pour tout le monde que je me concentre sur le chant. On avait l'air plutôt traditionnel comme formation, monsieur gratte l'instrument, madame donne de la voix. Il faut un début à tout.

Vu que notre petit groupe avait l'air de préparer quelque chose, des gens se sont approchés. Pour voir. Des fois qu'il se passerait quelque chose. Je veux dire, quelque chose de plus excitant qu'un tas de types virés de leur boulot. À défaut d'être solidaire, le passant est curieux. Bref, nous étions les jetables et associés, plus quelques badauds, et David et moi au milieu. J'ai cherché des yeux deux ou trois personnes que je pourrais regarder en chantant. Pas des têtes de rats qui prennent des airs gênés ou dégoûtés devant votre exhibition. Des bonnes têtes avec des bons yeux qui vous trouvent terriblement intéressante et pas ridicule du tout. Ça existe. Le tout, c'est de les choisir. J'ai pris le vieux collègue et ma mère. Elle, au moins, j'étais sûre qu'elle n'oserait pas me quitter du regard.

— On y va? a fait David en me regardant.

— On y va.

Il a lancé les accords, l'ampli était réglé juste bien pour ne pas me couvrir complètement. Et hop, j'ai hurlé :

« Arrête de m'dire de travailler,
Tu viens tout juste de te faire virer… »

La guitare de David avait un bon son sec. J'avais la voix un peu rauque. La chaleur, j'imagine. C'était bien parti quand j'ai vu devant moi les yeux de ma mère grossir et devenir transparents. Menaces de flotte à l'horizon. Le problème avec elle, c'est qu'on ne peut pas lui faire confiance. Elle est trop émotive. Je me suis reportée sur Vieux Collègue qui semblait, lui, tout à fait satisfait, qui n'avait du tout l'intention de pleurer, même pas un peu, et qui serrait les poings avec beaucoup de conviction. Vieux Collègue, mon cher public.

L'avantage du concert de soutien, c'est que les gens soutiennent. À fond. Ils applaudissaient aux meilleurs passages. On ne s'entendait plus mais franchement c'était assez excitant. Même les badauds se laissaient entraîner. Et tout le monde de reprendre en chœur « Au secours, Maman, au secours », on se serait cru dans un orphelinat. David a dû monter le son de l'ampli. Attirés par le vacarme, d'autres curieux sont venus s'agglutiner. Si bien qu'il a fallu la chanter une autre fois, cette chanson, pendant ma mère s'essuyait les yeux avec le mouchoir en papier que lui tendait mon père. À la fin, tout le monde a applaudi, mais ce n'était pas tellement nous qu'on applaudissait. Les gens s'applaudissaient entre eux parce que cette chanson, après tout, c'était la leur. David a posé sa guitare, et mon père m'a tendu les mouchoirs en papier pour que je m'essuie le visage. Mais la vérité, c'est que j'aurais bien pris une douche. J'étais trempée de la tête aux pieds.

– On dirait que chanter donne chaud. L'émotion, j'imagine.

– Ouh là, non, j'ai dit. Il fait juste soixante degrés, et je viens de brailler comme un putois pendant vingt minutes. J'ai le thermomètre au bord de l'explosion, c'est tout.

Mon père m'a regardée avec un petit sourire et je savais ce qu'il pensait. Il pensait que je faisais la dure à cuire, et après tout c'était peut-être exactement le cas. Faut pas me confondre avec ma mère. Son registre à elle, c'est l'émotion. Moi, ce serait plutôt l'action. Ensuite, j'ai aperçu Sophie et Jessica dans la petite foule qui se congratulait sous la banderole. Sophie distribuait des gâteaux et Jessica donnait un biberon de flotte à Rosette, qui était rouge comme une tomate. Ce truc, avec gosses, gâteaux et chansons, c'était vraiment devenu une fête. Une vraie fête de jetables avec leurs invités de passage. Je me suis dit qu'il faudrait en faire d'autres. Même quand ils seraient tous chômeurs, ils auraient encore des familles, des amis. Il y aurait encore des curieux dans la rue et des bouts de trottoir à occuper. C'est peut-être une idée politique, de faire des fêtes ensemble. C'est peut-être une idée politique de ne pas s'abandonner les uns les autres.

2 septembre
Sans blague, après le concert d'hier, je ne sais pas si j'ai très envie de continuer Blanche-Neige. Je préfère jouer avec David. Tout est plus simple à deux, et au moins on n'a pas de chef. Ce n'est pas que je n'aime pas Areski. Mais j'ai du mal avec les chefs.

— On peut toujours lui proposer de rester dans son groupe, a dit David. Mais il faut le prévenir qu'on travaille aussi à deux en parallèle.

— Jamais j'aurai le temps de répéter pour tout le monde. Ou alors, j'arrête le lycée et je ne sais pas si c'est légal.

3 septembre
Le lycée est toujours debout. Célianthe et Jabourdeau sont toujours ensemble. J'ai toujours la même prof d'histoire-géo, et ça ne fait plaisir à personne, ni

à elle ni à moi. Il paraît qu'il faut se taper encore un an de français sous prétexte qu'il y a bac à la fin de l'année. L'arnaque. Et Areski a décidé d'arrêter Blanche-Neige. Il a téléphoné hier soir. Il tente sa chance dans un groupe qui cherche un bassiste. Des vrais musiciens. Qui veulent réussir. Pour de bon. Pas des amateurs. Comme nous. Trop aimable.

— Tout s'arrange, a dit David.

— Bon débarras, j'ai dit.

J'ai pensé que j'allais redevenir copine avec Samira. À condition qu'elle accepte de sacrifier cinq minutes de travail de temps en temps pour les passer avec moi. Pas tellement qu'elle se fasse du souci pour le bac. C'est comme si elle l'avait déjà. Mais elle ne pense déjà qu'à l'année prochaine. Médecine.

Moi, je ne pense qu'à David. C'est sûrement un défaut d'intelligence. Le peu que j'ai de disponible, il l'occupe tout entier. Heureusement qu'on ne peut pas se voir tous les jours. Ça me laisse un peu de temps pour les maths. Pour la musique. Pour la politique. Pour ricaner avec Lola. Pour me pourrir avec Sophie. Et pour adorer Rosette.

16 septembre
Lola aussi a l'intention d'avoir son bac. Si elle l'a, tous

les espoirs me sont permis. Ça vaut peut-être le coup de retourner à l'église allumer des bougies et demander une grâce spéciale. Au baptême de Rosette, elle avait l'air d'avoir Dieu à la bonne. Il lui filera peut-être un coup de main. Il lui inventera une option miraculeuse sur mesure, cheveux, costume de foire ou petits amis, qui sait. Parce que, s'il faut compter sur les révisions, ça va être un peu juste. Elle n'est tout simplement pas faite pour le travail scolaire. Sa vie est ailleurs, c'est tout.

17 septembre

Bon sang, j'ai une quantité industrielle de trucs à raconter. Mes journées sont bourrées d'événements. Quelquefois j'ai l'impression qu'elles vont exploser. Comme si j'avais déjà vécu une journée complète à midi et qu'il fallait en recommencer une autre dans la foulée. Je reconnais que les événements en question sont plus ou moins minuscules mais ce sont des événements quand même. Pas plus palpitant que dans une série télé de base. Mais pas moins. Où les gens trouvent le temps d'écrire leur journal, c'est la question. Pour moi, plus ça va, moins ça va. Je ne peux pas à la fois vivre des choses à longueur de journée et les écrire. C'est l'un ou l'autre. Ce sera l'un. Je vais me coucher et dormir. Je ne suis pas une machine à écrire, à la fin.

20 septembre
David ne voulait pas me croire. Pour le journal

— Depuis trois ans, je te jure.

— Je ne te crois pas.

— Regarde.

J'ai sorti mes cahiers, je les ai posés sur ses genoux. Il a ouvert des yeux effarés.

— J'arrive pas à le croire.

— Ouvre.

Il a feuilleté les pages sans s'arrêter, comme si le papier lui brûlait les doigts.

— Alors ?

— C'est bon. Je te crois.

— Tu n'as pas envie de lire ?

— Non.

— Même pas quelques lignes ?

— Surtout pas.

— T'as peur de me trouver idiote ?

— C'est pas ça. J'aime bien la fille de maintenant. Je n'ai pas trop envie de connaître celle d'avant. C'est comme si je fouillais dans des vieux habits sales.

— Ne dis pas «vieux habits sales». C'est dégoûtant.

– Exactement. Ça me dégoûte de lire des choses qui n'ont pas été écrites pour moi.

– Tu me trouves dégoûtante ?

– Mais non, imbécile.

– Tu me traites d'imbécile ?

– Mais non…

– Trop tard. Tu l'as dit. Dégoûtante et imbécile, ça fait beaucoup pour la même soirée.

– D'accord. File ce truc. Je vais le lire.

– T'es malade ou quoi ? Jamais je ne te le laisserai fouiller dans ma vie privée d'avant. Même si tu me payais cent mille euros.

– Cent mille euros ? Tu crois que ta vie privée d'avant vaut cent mille euros ?

J'en avais marre de cette discussion idiote. On a arrêté de parler de mon journal. J'ai rangé les cahiers dans le troisième tiroir de mon bureau, sous mes vieux bulletins. Adieu, vieux et sales cahiers de ma dégoûtante vie d'avant.

22 septembre

– Tu ne préfères pas écrire des chansons ? m'a demandé David.

Il était assis sur mon lit, et il en était encore à se poser des questions.

Ce journal, on aurait dit que ça l'intéressait plus que moi.

— Ce n'est pas pareil. Les chansons sont en plus. Elles sont une partie du journal, si tu veux.

— Tout ce que tu fais, tu l'écris?

— Pas tout. Personne n'arriverait à tout écrire. La vie est trop nombreuse.

— Oui, a constaté David.

Il m'a regardée avec des yeux mélancoliques, et c'était affreux parce que je me suis sentie mélancolique aussi. La véritable épidémie mondiale instantanée.

— Souvent, dans la journée, j'ai envie d'arrêter les moments. Les moments où je suis heureuse, ceux où je suis triste, ceux où je suis en colère, et même ceux où je m'ennuie. Je voudrais qu'ils restent avec moi, quelque part, dans une sorte de présent qui durerait toujours. Je voudrais ne rien perdre de ce qui a été. Lola, ma grand-mère, Samira, les disputes avec Sophie, le baptême de Rosette... Alors j'écris des petits trucs dans mon journal pour les sauver de la disparition.

— Mais ce n'est pas possible, a dit David. Même les choses qui ont été écrites finissent par s'abîmer. Comme les vieilles photos. Elles deviennent toutes pâles. Et à la fin, quand il n'y a plus personne pour

s'en occuper, on les trouve à vendre dans les bro-
cantes, en désordre dans des boîtes en carton ou des
sachets de plastique.

— Tu dis ça pour me faire pleurer ou tu as une
meilleure raison?

Des fois, je me demande si David n'est pas un peu
trop sensible pour être mon copain. Personne n'a
besoin d'une personne trop sensible dans la vie de
tous les jours. Ça se termine toujours par des
embrouilles et des mélancolies. Ce n'est pas un type
comme Tom qui m'aurait baratinée pendant des
heures avec la disparition des choses.

— De toute façon, je n'ai pas le temps de l'écrire,
ce journal. J'ai des journées un peu trop chargées,
figure-toi. Tout me prend du temps à vivre. À commencer par toi.

— Ça y est. C'est de ma faute...

— Tout de suite... Désolée de te décevoir mais
c'est pas ta faute personnelle. C'est la faute de tous
ceux que j'ai plus envie de connaître que de com-
menter. J'écrirai quand je serai vieille. Quand on est
vieux, on a un peu fait le tour de la question. On
peut se passer d'une vie à soi. On n'a plus que ça à
faire de bassiner les gens avec ses vieux souvenirs et
autres avis personnels. Non?

— J'en sais rien, a dit David.

Voilà ce qui est énervant chez lui. Il lance des sujets de discussion sur lesquels il n'a pas vraiment d'avis. Résultat: on s'énerve comme des dingues pour découvrir que, de toute façon, il n'en pense rien.

— Tu pourrais faire un effort pour avoir une opinion. Au moins par politesse. C'est quand même toi qui as commencé à parler du journal. Je m'en fichais pas mal avant que tu me casses le moral.

Il a souri d'un air ravi et je me suis rendu compte que c'était là qu'il touchait au point ultime de l'énervement. Ce n'est pas qu'il est trop sensible, ni trop mélancolique, ni qu'il lance des sujets de discussion à travers tout, mais c'est qu'il a cette façon trop charmante de sourire dans les moments de panique, comme si c'était juste une blague, la sensibilité, la mélancolie, le temps qui passe, une bonne blague en passant.

— Oh, toi, j'ai dit, toi… Toi…

Il a secoué la tête.

— Je pensais aux chansons, a-t-il observé exactement comme si nous n'avions parlé de rien et qu'il reprenait la discussion à zéro. Tu as remarqué qu'une chanson bricolée avec les vieux sentiments d'une seule personne fabrique de nouveaux sentiments pour d'autres personnes? Tu as remarqué qu'une bonne chanson garantit le passé, le présent et le futur à la fois?

— Tu as remarqué que tu me prends la tête avec des considérations de grammaire alors que tu dois rentrer chez toi pas plus tard que tout à l'heure et qu'on ne se revoit pas avant samedi?

— Tu as remarqué que tu as un sale caractère?

— Tu as remarqué que, pour un sale caractère, je suis drôlement gentille avec toi?

— Oui et c'est pour ça que je t'aime.

Qu'est-ce que je pouvais faire? Je me suis jetée sur lui pour lui mettre une claque. J'ai réussi à le basculer sur mon lit. Mais, pour la claque, il l'attend encore.

24 septembre
   « *Où vont tous les moments,*
   Tous les bonheurs qui passent?
   C'est le temps qui les mange.
   Je veux bien que tout change,
   Mais sans que rien s'efface.
   Je veux garder Lola,
   Rosette et Samira,
   Sophie et Jessica,

Ma maman, mon papa,
Mes ancêtres en l'état.
Je veux rester la même,
Garder tous ceux que j'aime.
Et si c'est l'avenir
Qui oblige à vieillir,
Vieillir seulement un peu
Pour la règle du jeu. »

On dirait que le vieux goût du passé me tire à fond de son côté. Si ça continue comme ça, autant dire que, sous le rapport du futur, je suis mal barrée dans la vie. J'ai intérêt à laisser tomber ce journal nostalgique et à me précipiter en chantant vers mes lendemains radieux. Sauf que j'ai juste l'impression d'être dans une bagnole sans freins lancée à fond de train sur une route de montagne. J'en ai marre de ne plus savoir quoi penser. Et tout ça par la faute de David et de ses conversations grammaticales. Je suis une pauvre fille dépressive sous influence. Pas de quoi s'affoler, dans un sens. C'est un plan de carrière comme un autre. Après tout.

26 septembre

J'ai croisé Lola devant les boîtes aux lettres. Je me demande comment ils l'acceptent, dans son lycée.

Elle est peinte comme si elle allait à la guerre chez les Sioux. Ils sont peut-être jumelés avec une tribu. Elle doit faire peur à tout le monde. Après l'échange rituel des «Ça va, ça va», je lui ai annoncé que je changeais de vie. Elle est mon amie. Normal qu'elle soit au courant.

— Lola, j'ai dit, j'ai pris une grande décision. J'arrête le journal.

Elle m'a regardée avec de pauvres petits yeux effarés.

— Tu te désabonnes?

C'est tout ce qu'elle a trouvé à me répondre. Ma meilleure amie. Déprimant, non?

27 septembre

Samira trouve qu'arrêter le journal est une bonne idée. Elle trouve d'ailleurs que commencer était une initiative idiote. Elle pense que ça ne sert à rien d'écrire un journal intime, précisément parce qu'il est intime.

— Le temps perdu… Si tu ne peux pas t'empêcher d'écrire, écris au moins quelque chose que les gens puissent lire. Je ne sais pas, moi… Tout le monde est capable d'écrire une histoire d'amour…

Une histoire d'amour. Ah, ah. N'empêche qu'elle

a consacré presque dix minutes de son temps à parler avec moi. Dans le fond, compte tenu qu'elle se fiche des journaux, de l'intimité, et probablement de ce tout qui m'arrive, c'est plutôt gentil de sa part. J'ai failli la remercier. Mais je me suis abstenue. Elle m'énerve trop.

28 septembre
Je n'ai rien dit à mes sœurs, ni à mes parents, ni à mes ancêtres. D'une part, je ne m'intéresse pas tellement à leur avis. D'autre part, j'aime autant ne pas aborder le sujet avec eux. Et s'ils savaient que j'écris? Et s'ils connaissaient ma cachette? Et s'ils avaient été fouiller dans mes affaires? Et s'ils avaient fourré leurs sales nez dans mes écrits? Et s'ils me suppliaient de continuer parce que je suis leur écrivain préféré? Pitié.

29 septembre
OK. Je décroche. J'abandonne. J'arrête. Je planque ce journal dans une boîte à chaussures, sous une couche de fermiers Fisher-Price. Soit il disparaît, victime d'une attaque de rangement maternel, soit je le retrouve quand je serai vieille. Au moins, je serai contente de remettre la main sur les Fisher-Price. Avec un peu de chance, ils seront devenus de vieux

jouets de collection. Moi aussi, je serai devenue une vieille bonne femme de collection. Avec mon journal comme certificat d'authenticité. A été jeune un jour. Incroyable mais vrai.

30 septembre

Au revoir, cher petit journal. L'avantage, c'est que tu n'es pas tout seul dans ta boîte. Tu as toute une ferme pour te tenir compagnie. Un peu comme une momie égyptienne. On vous déterrera tous ensemble. Je serai devenue chanteuse de bal, ou présidente de syndicat, ou prof de maths, on ne sait pas. En attendant, prends bien soin du cochon, il a failli jouer à Noël dans la crèche.

Salut, mon pote. À plus tard. Dans le temps.